LIMA BARRETO

OS BRUZUNDANGAS

LIMA BARRETO

OS BRUZUNDANGAS

Principis

Esta é uma publicação Principis, selo exclusivo da Ciranda Cultural

Texto
Lima Barreto

Preparação
Mirtes Ugeda Coscodai

Revisão
Agnaldo Alves

Diagramação
Fernando Laino | Linea Editora

Produção editorial e projeto gráfico
Ciranda Cultural

Imagens
alex74/Shutterstock.com;
Hein Nouwens/Shutterstock.com;
lynea/Shutterstock.com;
VolodymyrSanych/Shutterstock.com

Dados Internacionais de Catalogação na Publicação (CIP) de acordo com ISBD

B273b Barreto, Lima

Os bruzundangas / Lima Barreto. - Jandira, SP : Principis, 2021.
160 p. ; 15,5cm x 22,6cm. - (Clássicos da literatura)

ISBN: 978-65-5552-253-2

1. Literatura brasileira. 2. Romance. I. Título. II. Série.

2020-3248 CDD 869.89923
CDU 821.134.3(81)-31

Elaborado por Vagner Rodolfo da Silva - CRB-8/9410

Índice para catálogo sistemático:
1. Literatura brasileira : Romance 869.89923
2. Literatura brasileira : Romance 821.134.3(81)-31

1ª edição em 2021
www.cirandacultural.com.br

SUMÁRIO

Hais tous maux où qu'ils soient, très doux Fils.

Joinville. *São Luís.*

PREFÁCIO

Na *Arte de furtar*, que ultimamente tanto barulho causou entre os eruditos, há um capítulo, o quarto, que tem como ementa esta singular afirmação: "Como os maiores ladrões são os que têm por ofício livrar-nos de outros ladrões."

Não li o capítulo, mas abrindo ao acaso um exemplar do curioso livro, achei verdadeira a coisa e boa para justificar a publicação destas despretensiosas "Notas".

A *Bruzundanga* fornece matéria de sobra para livrar-nos, a nós do Brasil, de piores males, pois possui maiores e mais completos. Sua missão é, portanto, como a dos "maiores" da *Arte*, livrar-nos dos outros, naturalmente menores.

Bem precisados estávamos nós disto quando temos aqui ministros de Estado que são simples caixeiros de venda, a roubar-nos muito modestamente no peso da carne-seca, enquanto a Bruzundanga os tem que se ocupam unicamente, no seu ofício de ministro, de encarecerem o açúcar no mercado interno, conseguindo isto com o vendê-lo abaixo do preço da usina aos estrangeiros. Lá, chama-se a isto prover necessidades públicas; aqui, não sei que nome teria...

E semelhante ministro daqueles "maiores" de que a *Arte* nos fala, destinados a ensinar-nos como nos livrar dos nossos modestos caixeiros de mercearias ministeriais.

Não contente com ter dessas coisas, a Bruzundanga possui outras muitas que desejava enumerar todas, pois todas elas são dignas de apreço e portadoras de ensinamentos proveitosos.

Como não poderíamos aproveitar aquele caso de um doutor da Bruzundanga, ele mesmo açambarcador de cebolas, que vai para uma comissão, nomeada para estudar as causas da carestia da vida, e propõe que se adotem leis contra os estancadores de mercadorias?

É que este doutor dos "maiores" de que nos fala o célebre livrinho sabia perfeitamente que não estancava e tinha o hábito de reservas mentais. Não açambarcava, mas "aliviava" logo uma grande porção de mercadorias para o estrangeiro, por qualquer coisa, de modo que... *Le pauvre homme*! Podia até iludir o nosso pobre Beckman!

Com este exemplo, os menores daqui poderão ser denunciados por este grandalhão de lá, tão generoso e desinteressado, e o nosso povo poderá livrar-se deles.

Conheci na Bruzundanga um rapaz (creio que está nas "Notas"), de rabona de sarja e ares de familiar do Santo Ofício, mas tresandando a Comte, senão a anticlericalismo, que, de uma hora para a outra, se fez reitor do Asilo de Enjeitados, apandilhado com padres e frades, depois de ter arranjado um rico casamento eclesiástico, a fim de ver se, com o apoio da sotaina e do solidéu, se fazia ministro ou mesmo mandachuva da República. Que "maior" não acham?

E aquele que, tendo sido ministro do imperador da Bruzundanga e seu conselheiro, se transformou em açougueiro para vender carne aos vizinhos a dez réis de mel coado, graças às isenções que obteve com o prestígio do seu nome, dos seus amigos, da sua família e das suas antigas posições, enquanto os seus patrícios pagavam-lhe o dobro?

Quantos exemplos de lá, bem grandes, nos irão precaver contra os pequeninos de cá... A *Arte* fala a verdade...

Outra coisa curiosa da Bruzundanga, das grandes, das extraordinárias, é a sua "Defesa Nacional".

Lá, como em toda a parte, se devia entender por isso a aquisição de armamentos, munições, equipamentos, adestramento de tropas, etc.; mas os doges do Kaphet (*vide* texto) entenderam que não; que era dar-lhes dinheiro, para elevar artificialmente o preço de sua especiaria. De que modo? Retendo o produto, proibindo-lhe a exportação desde certo limite, conquanto se houvessem tenazmente oposto a que semelhante medida fosse tomada no que toca às utilidades indispensáveis à nossa vida: cereais, carnes, algodão, açúcar, etc.

É preciso notar que tais utilidades, como já fiz notar, iam para o estrangeiro por metade do preço, menos até.

Aprendamos por aí a conhecer os nossos "menores".

Poderia muito bem falar de outros grossos casos de lá, capazes de nos livrar dos tais pequenos daqui; mas, para quê?

As páginas que se seguem vão revelá-los e eu me dispenso de narrá-los neste curto prefácio. Pobre terra da Bruzundanga! Velha, na sua maior parte, como o planeta, toda a sua missão tem sido criar a vida e a fecundidade para os outros, pois nunca os que nela nasceram, os que nela viveram, os que a amaram e sugaram-lhe o leite, tiveram sossego sobre o seu solo!

Ainda hoje, quando o geólogo encontra nela um queixal de *Megatherium* ou um fêmur de *Propithecus*, tem vontade de oferecer à Minerva uma hecatombe de bois brancos!

Vivos, os bons são tangidos daqui para ali, corridos, vexados, se têm grandes ideais; mortos, os seus ossos esperam que os grandes rios da Bruzundanga os levem para fecundar a terra dos outros, lá embaixo, muito longe...

Tudo nela é caprichoso, e vário e irregular. Aqui terreno fértil, úbere; acolá, bem perto, estéril, arenoso.

Se a jusante sobra cal, falta água; se há para montante, falta cal...

As suas florestas são caprichosas também; as essências não se associam. Vivem orgulhosamente isoladas, tornando-lhes penosa a exploração. Aqui, está uma espécie e outra semelhante só se encontrará mais além, distante...

Envelheceu, está caduca e tudo que vem para ela sofre-lhe o contágio da sua antiguidade: caduquece!

Contudo, e talvez por isso mesmo, os seus costumes e hábitos podem servir-nos de ensinamento, pois conforme a *Arte de furtar* diz: "os maiores ladrões são os que têm por ofício livrar-nos de outros ladrões".

Por intermédio dos dela, dos dessa velha e ainda rica terra da Bruzundanga, livremo-nos dos nossos: é o escopo deste pequeno livro.

Lima Barreto
Todos os Santos, 2-9-17

CAPÍTULO ESPECIAL

OS SAMOIEDAS

Vazios estais de Cristo, vós que vos
justificais pela lei; da graça tendes caído.
São Paulo aos Gálatas

Queria evitar, mas me vejo obrigado a falar na literatura da Bruzundanga. É um capítulo dos mais delicados, para tratar do qual não me sinto completamente habilitado.

Dissertar sobre uma literatura estrangeira supõe, entre muitas, o conhecimento de duas coisas primordiais: ideias gerais sobre literatura e compreensão fácil do idioma desse povo estrangeiro. Eu cheguei a entender perfeitamente a língua da Bruzundanga, isto é, a língua falada pela gente instruída e a escrita por muitos escritores que julguei excelentes; mas aquela em que escreviam os literatos importantes, solenes, respeitados, nunca consegui entender, porque redigem eles as suas obras, ou antes, os seus livros, em outra muito diferente da usual, outra essa que consideram como sendo a verdadeira, a lídima, justificando isso por ter feição antiga de dois séculos ou três.

Quanto mais incompreensível é ela, mais admirado é o escritor que a escreve, por todos que não lhe entenderam o escrito.

Lembrei-me, porém, que as minhas notícias daquela distante república não seriam completas, se não desse algumas informações sobre as suas letras; e resolvi vencer a hesitação imediatamente, como agora venço.

A Bruzundanga não podia deixar de tê-las, pois todo o povo, tribo, clã, todo o agregado humano, enfim, tem a sua literatura e o estudo dessas literaturas muito tem contribuído para nós nos conhecermos a nós mesmos, melhor nos compreendermos e mais perfeitamente nos ligarmos em sociedade, em humanidade, afinal.

Seria uma falha minha nada dizer eu sobre as belas-letras da Bruzundanga que as tem como todos os países, a não ser o nosso que, conforme sentenciou a *Gazeta de Notícias*, não merece tê-las, pois o literato não tem função social na nossa sociedade, provocando tal opinião o protesto de um sociólogo inesperado. Devem estar lembrados deste episódio, creio eu. Continuemos, porém, na Bruzundanga. Nela, há a literatura oral e popular de cânticos, hinos, modinhas, fábulas, etc.; mas todo esse *folk-lore* não tem sido coligido e escrito, de modo que, dele, pouco lhes posso comunicar.

Porém, um canto popular que me foi narrado com todo o sabor da ingenuidade e dos modismos peculiares ao povo, posso reproduzir aqui, embora a reprodução não guarde mais aquele encanto de frase simples e imagens familiares das anônimas narrações das coletividades humanas.

Na versão dos populares da curiosa república, o conto se intitula "O GENERAL E O DIABO", havendo uma variante sob a alcunha de "O PADRE E O DIABO". Como não tivesse de cor nem as palavras da versão mais geral, nem as da variante, aproveitei o tema, alguma coisa do corpo da "história" e a narro aqui, certamente muito desfigurada, sob a crisma de:

SUA EXCELÊNCIA

O ministro saiu do baile da embaixada, embarcando logo no carro. Desde duas horas estivera a sonhar com aquele momento. Ansiava estar só, só com o seu pensamento, pesando bem as palavras que proferira, relembrando as atitudes e os pasmos olhares dos circunstantes. Por isso entrara no coupé *depressa, sôfrego, sem mesmo reparar se, de fato, era o seu. Vinha cegamente, tangido por sentimentos complexos: orgulho, força, valor, vaidade.*

Todo ele era um poço de certeza. Estava certo do seu valor intrínseco; estava certo das suas qualidades extraordinárias e excepcionais. A respeitosa atitude de todos e a deferência universal que o cercava eram nada mais, nada menos, que o sinal da convicção geral de ser ele o resumo do país, a encarnação dos seus anseios. Nele viviam os doridos queixumes dos humildes e os espetaculosos desejos dos ricos. As obscuras determinações das coisas, acertadamente, haviam-no erguido até ali, e mais alto levá-lo-iam, visto que só ele, ele só e unicamente, seria capaz de fazer o país chegar aos destinos que os antecedentes dele impunham...

E ele sorriu, quando essa frase lhe passou pelos olhos, totalmente escrita em caracteres de imprensa, em um livro ou em um jornal qualquer. Lembrou-se do seu discurso de ainda agora:

"Na vida das sociedades, como na dos indivíduos..."

Que maravilha! Tinha algo de filosófico, de transcendente. E o sucesso daquele trecho? Recordou-se dele por inteiro:

"Aristóteles, Bacon, Descartes, Spinosa e Spencer, como Sólon, Justiniano, Portalis e Ihering, todos os filósofos, todos os juristas afirmam que as leis devem se basear nos costumes..."

O olhar muito brilhante, cheio de admiração, o olhar do leader da oposição, foi o mais seguro penhor do efeito da frase...

E quando terminou! Oh!

"Senhor, o nosso tempo é de grandes reformas; estejamos com ele: reformemos!"

A cerimônia mal conteve, nos circunstantes, o entusiasmo com que esse final foi recebido.

O auditório delirou. As palmas estrugiram; e, dentro do grande salão iluminado, pareceu-lhe que recebia as palmas da Terra toda.

O carro continuava a voar. As luzes da rua extensa apareciam como um só traço de fogo; depois sumiram-se.

O veículo agora corria vertiginosamente dentro de uma névoa fosforescente. Era em vão que seus augustos olhos se abriam desmedidamente; não havia contornos, formas, onde eles pousassem.

Consultou o relógio. Estava parado? Não; mas marcava a mesma hora, o mesmo minuto da sua saída da festa.

– Cocheiro, onde vamos?

Quis arriar as vidraças. Não pôde; queimavam.

Redobrou os esforços, conseguindo arriar as da frente.

Gritou ao cocheiro:

– Onde vamos? Miserável, onde me levas?

Apesar de ter o carro algumas vidraças arriadas, no seu interior fazia um calor de forja. Quando lhe veio esta imagem, apalpou bem, no peito, as grã-cruzes magníficas. Graças a Deus, ainda não se haviam derretido. O Leão da Birmânia, o Dragão da China, o Lingão da Índia estavam ali, entre todas as outras, intactas.

– Cocheiro, onde me levas?

Não era o mesmo cocheiro, não era o seu. Aquele homem de nariz adunco, queixo longo com uma barbicha, não era o seu fiel Manuel!

– Canalha, para, para, senão caro me pagarás!

O carro voava, e o ministro continuava a vociferar:

– Miserável! Traidor! Para! Para!

Em uma dessas vezes voltou-se o cocheiro; mas a escuridão que se ia, aos poucos fazendo quase perfeita, só lhe permitiu ver os olhos do guia da carruagem, a brilhar de um brilho brejeiro, metálico e cortante. Pareceu-lhe que estava a rir-se.

O calor aumentava. Pelos cantos o carro chispava. Não podendo suportar o calor, despiu-se. Tirou a agaloada casaca, depois o espadim, o colete, as calças...

Sufocado, estonteado, parecia-lhe que continuava com vida, mas que suas pernas e seus braços, seu tronco e sua cabeça dançavam, separados.

Desmaiou; e, ao recuperar os sentidos, viu-se vestido com uma reles "libré" e uma grotesca cartola, cochilando à porta do palácio em que estivera ainda há pouco e de onde saíra triunfalmente não havia minutos.

Nas proximidades um coupé *estacionava.*

Quis verificar bem as coisas circundantes; mas não houve tempo.

Pelas escadas de mármore, gravemente, solenemente, um homem (pareceu-lhe isso) descia os degraus, envolvido no fardão que despira, tendo no peito as mesmas magníficas grã-cruzes...

Logo que o personagem pisou na soleira, de um só ímpeto se aproximou e, abjetamente, como se até ali não tivesse feito outra coisa, indagou:

– Vossa Excelência quer o carro?

Como esta há, na Bruzundanga, muitas outras "histórias" que correm de boca em boca e se transmitem de pai a filho.

Os literatos, propriamente, aqueles de bons vestuários e ademanes de encomenda, não lhes dão importância, embora de todo não desprezem a literatura oral. Ao contrário: todos eles quase não têm propriamente obras escritas; a bagagem deles consta de conferências, poesias recitadas nas salas, máximas pronunciadas na intimidade de amigos, discursos em batizados ou casamentos, em banquetes de figurões ou em cerimônias escolares, cifrando-se, as mais das vezes, a sua obra escrita em uma *plaquette* de fantasias de menino, coletâneas de ligeiros artigos de jornal ou em um maçudo compêndio de aula, vendidos, na nossa moeda, à razão de quinze ou vinte mil-réis o volume.

Estes tais são até os escritores mais estimados e representativos, sobretudo quando empregam palavras obsoletas e são médicos com larga freguesia.

São eles lá, na Bruzundanga, conhecidos por "expoentes" e não há moça rica que não queira casar com eles. Fazem-no depressa porque vivem pouco e menos que os seus livros afortunados. Há outros aspectos. Vamos ver um peculiar.

O que caracteriza a literatura daquele país é uma curiosa escola literária lá conhecida por "Escola Samoieda".

Não que todo o escritor bruzundanguense pertença a semelhante rito literário; os mais pretensiosos, porém, e os que se têm na conta de sacerdotes da Arte, se dizem graduados, diplomados nela. Digo "caracteriza", porque, como os senhores verão no correr destas notas, não há na maioria daquela gente uma profundeza de sentimento que a impele a ir ao âmago das coisas que fingem amar, de decifrá-las pelo amor sincero em que as têm, de querê-las totalmente, de absorvê-las. Só querem a aparência das coisas. Quando, em geral, vão estudar medicina, não é a medicina que eles pretendem exercer, não é curar, não é ser um grande médico, é ser doutor; quando se fazem oficiais do exército ou da marinha, não é exercer as obrigações atinentes a tais profissões, tanto assim que fogem de executar o que é próprio a elas. Vão ser uma ou outra coisa, pelo brilho do uniforme. Assim também são os literatos que simulam sê-lo para ter a glória que as letras dão, sem querer arcar com as dores, com o esforço excepcional, que elas exigem em troca. A glória das letras só as tem quem a elas se dá inteiramente; nelas, como no amor, só é amado quem se esquece de si inteiramente e se entrega com fé cega. Os samoiedas, como vamos ver, contentam-se com as aparências literárias e a banal simulação de notoriedade, umas vezes por incapacidade de inteligência, em outras por instrução insuficiente ou viciada, quase sempre, porém, por falta de verdadeiro talento poético, de sinceridade, e necessidade, portanto, de disfarçar os defeitos com politiquices e passes de mágica intelectuais.

Tendo convivido com alguns poetas samoiedas, pude estudar um tanto demoradamente os princípios teóricos dessa escola e julgo estar habilitado a lhes dar um resumo de suas regras poéticas e da sua estética.

Esses poetas da Bruzundanga, para dar uma origem altissonante e misteriosa à sua escola, sustentam que ela nasceu do poema de um príncipe samoieda, que viveu nas margens do Ártico, nas proximidades do Óbi ou do Lena, na Sibéria, um original que se alimentava da carne de mamutes conservados há centenas de séculos nas geleiras daquelas regiões.

Essa espécie de alimentação do longínquo príncipe poeta dava aos olhos de todos eles singular prestígio aos seus versos e aos do fundador, embora pouco eles os conhecessem.

O príncipe chamava-se Tuque-Tuque Fit-Fit e o seu poema *Parikáithont Vakochan*, o que quer dizer no nosso calão *O silêncio das renas no campo de gelo*.

Tuque-Tuque Fit-Fit era descrito pelos "samoiedas" da Bruzundanga como sendo uma beleza sem par e triunfal entre as deidades daquelas regiões árticas.

Tudo isto era fantástico, mas graças à credulidade dos sábios do país, só um ou outro desalmado tinha a coragem de contestar tais lendas.

Como todos nós sabemos, a raça samoieda é de estatura baixa, pouco menos que a dos lapões, cabelos longos, duros e negros de jade, vivendo da carne de renas, de urso-branco, quando a felicidade lhe fornece um. Tais homens andam em trenós e fazem caiaques de peles de renas ou focas que eles empregam para capturar estas últimas.

As suas concepções religiosas são reduzidas, e os seus ídolos, manipansos hediondos, tocos de pau besuntados de pinturas incoerentes. Vestem-se, os samoiedas, com peles de renas e outros animais hiperbóreos.

Entretanto, na opinião dos poetas daquela república, que dizem seguir as teorias da literatura do oceano Ártico, não são os samoiedas assim, como o contam os mais autorizados viajantes; mas sim os mais belos espécimes da raça humana, possuindo uma civilização digna da Grécia antiga.

Esta Grécia serve para tudo, especialmente na Bruzundanga...

Em geral, os vates bruzundanguenses adeptos da tal escola samoieda, como os senhores veem, não primam pela ilustração; e, quando se contesta no tocante à beleza de tais esquimós, respondem categoricamente que a devem ter extraordinária, pois quanto mais fria é a região, mais belos são os seus tipos, mais altos, mais louros, e os samoiedas vivem em zona frigidíssima.

Não há como discutir com eles, porque todos se guiam por ideias feitas, receitas de julgamentos, e nunca se aventuram a examinar por si qualquer questão, preferindo resolvê-las por generalizações quase sempre recebidas de segunda ou terceira mão, diluídas e desfiguradas pelas sucessivas passagens de uma cabeça para outra cabeça.

Atribuem, sem base alguma, a esse tal Tuque-Tuque a fundação da escola, apesar de nunca lhe terem lido as poesias nem a sua arte poética.

Sempre procurei saber por que se enfeitavam com esse exótico avoengo; as razões psicológicas, eu as encontrei na vaidade deles, no seu desejo de disfarçar a sua inópia poética com um padrinho esquisito e misterioso; mas o núcleo da lenda, o grãozinho de areia em torno do qual se concretizava o mito ártico da escola, só ultimamente pude encontrar.

Consegui descobrir entre os livros de um inglês meu amigo, senhor Parsons, um volume do senhor H. T. Switbilter, de Bristol, na Inglaterra, *Literature of the Stingy Peoples*; e encontrei nele alguns versos samoiedas. São anônimos, mas o estudioso de Bristol declara que os recolheu da boca de um certo Tuck-Tuck, samoieda de nação, que ele conheceu em 1867, quando foi encarregado pela Sociedade Paleontológica de Bristol de descobrir na embocadura dos grandes rios da Sibéria monstros antediluvianos conservados no gelo, como escaparam de encontrar, quase intactos, o naturalista Pallas, nos fins do século XVIII, e o viajante Adams, em 1806. A história do tal príncipe Tuque-Tuque alimentar-se de carne de elefantes fósseis parece ter origem no fato bem sabido de terem os cães devorado as carnes do mamute, cujo esqueleto Adams trouxe para o museu de São Petersburgo; e o príncipe já sabemos quem é.

O senhor Switbilter pouco acrescenta a algumas poesias que publica; e as que estão no volume, traduzidas, são por demais monstruosas, sempre com um mesmo pensamento denunciando uma concepção estreita da vida e do universo, muito explicável em bárbaros glaciais.

O viajante inglês que conhece o samoieda, entretanto, diz aqui e ali que elas são enfáticas, sem quantidade de sentimento ou um acento musical agradável e individual, descaindo quase sempre para a melopeia ou o "tantã" ignaro, quando não alternam uma coisa e outra.

Mas não foi no livro do senhor Switbilter que os augustos poetas da Bruzundanga foram encontrar as bases da sua escola. Eles não conhecem esse autor, pois nunca os vi citá-lo.

Eles, os "samoiedas" da Bruzundanga, encontraram o mestre nos escritos de um tal Chamat ou Chalat, um aventureiro francês que parece ter estado no país daquela gente ártica, aprendido um pouco da língua dela e se servido do livro do viajante inglês para defender uma poética que lhe viera à cabeça.

Esse Chamat ou Chalat, Flaubert, quando esteve no Egito, encontrou-o por lá, como médico do exército do quedive; e ele se ocupava nos ócios de sua provável mendicância em rimar uma tragédia clássica, *Abdelcáder*, em cinco atos, onde havia um célebre verso de que o grande romancista nunca se esqueceu. É o seguinte:

"C'est de la' par Allah! qu' Abd-Allah s'en alla".

O esculápio do Cairo insistia muito nele e esforçava-se por demonstrar que, com semelhante "harmonia imitativa" como os antigos chamavam, obtinha traduzir, em verso, o sonido do galope de cavalo.

Havia mais belezas de igual quilate e outras originalidades. Não obstante, quando apareceu, foi um louco sucesso de riso muito parecido com o do *Tremor de Terra de Lisboa*, aquela célebre tragédia do cabeleireiro André, a quem Voltaire invejou e escreveu, entretanto, ao receber-lhe a obra, que continuasse a fazer sempre cabeleiras – *toujours des perruques*, senhor André.

Chalat afrontou a crítica e, não podendo defender-se com os clássicos franceses, apelou para a poesia em língua samoieda, que conhecia um pouco por ter sido marinheiro de um baleeiro que naufragou nas proximidades da terra desses lapões, entre os quais passou alguns meses. Não desconhecia o livro do senhor Switbilter, como tive ocasião de verificar nos fragmentos de um seu tratado poético, citado na tradução da obra de um seu discípulo basco por onde os "samoiedas" da Bruzundanga estudaram a escola que verdadeiramente Chalat ou Chamat fundara.

O seu desafio à crítica, escudado na poética e estética das margens do glacial ártico, trouxe-lhe logo uma certa notoriedade e discípulos.

Estes vieram muito naturalmente, pois, dada a indigência mental daquela espécie de esquimós, a sua pobreza de impressões e sensações, a sua incapacidade para as ideias gerais, os hinos, os cânticos, os rondós dos mesmos, citados pelo medicastro, facilitavam muito o ofício de fazer verso, desde que se tivesse paciência; e a facilidade seduziu muitos dos seus patrícios e determinou a admiração dos bardos bruzundanguenses.

Os discípulos de Chalat ou Chamat tiraram da sua obra regras infalíveis para fazer poetas e poesias, e um certo até aplicou a teoria dos erros à sua arte poética.

A instrução do grosso dos menestréis bruzundanguenses não permitia esse apelo à matemática; e contentaram-se com umas regras simples que tinham na ponta da língua, como as beatas as rezas que não lhes passam pelo coração, e outros desenvolvimentos teóricos.

Era, pois, essa poética e essa estética que dominavam entre os literatos da Bruzundanga; era assim como o seu dogma de arte donde se originavam as suas fórmulas litúrgicas, o seu ritual, os seus esconjuros, enfim, o seu culto à tal harmonia imitava, que tanto prezava Chalat.

Além desta deusa, havia outras divindades: o ritmo, o estilo, a nobreza das palavras, a aristocracia dos assuntos e dos personagens, quando faziam romances, contos ou dramas e a medição dos versos que exigiam fosse feita como se se tratasse da base de uma triangulação geodésica. Ninguém, no entanto, podia sacar-lhes da cabeça uma concepção geral e larga de arte ou obter o motivo deles conceberem separados da obra de arte esses acessórios, transformando-os em puros manipansos, fetiches, isolando-os, fazendo-os perder a sua função natural que supõe sempre a obra literária com o fim. É ela, a sua concepção, a ideia anterior que a domina e o seu destino necessário, que unicamente regulam o emprego deles, graduam o seu uso, a sua necessidade, e como que ela mesma os dita.

Todos os samoiedas limitavam-se, quando se tratava dos tais assuntos, a falar muito de um modo confuso, esotericamente, em forma e fundo, com trejeitos de feiticeiros tribais.

Não nego que houvesse entre eles alguns de valor, mas os preconceitos da escola os matavam.

A maioria ia para ela porque era cômodo no fundo, pois não pedia se comunicasse qualquer emoção, qualquer pensamento, qualquer importante revelação de nossa alma que interessasse outras almas; que se dissesse, usando dos processos artísticos, novos ou velhos, de um pouco do universal que há em nós, alguma coisa do mistério do universo que o nosso espírito tivesse percebido e determinasse transmiti-la; enfim um julgamento, um conceito que pudesse influir no uso da vida, na nossa conduta e no problema do nosso destino, empregando os fatos simples, elementares, as imagens e os sons que por si sós não exprimiriam a ideia que se procura, mas que se acha com eles e se vai além por meio deles.

Isto de Hegel, de Taine, de Brunetière, não era com os samoiedas; a questão deles era encontrar uma espécie de tabuada que lhes fizesse multiplicar a versalhada. Como as tais regras poéticas do suposto príncipe eram bem acessíveis à sua paciência de correcionais, adotaram-nas como artigos de fé, exageraram-nas até ao absurdo.

Convinham elas por ir ao encontro da sua falta de uma larga inteligência do mundo e do homem e facilitar-lhes uma crítica terra a terra de seminaristas mnemônicos.

Para mais perfeito ensinamento dos leitores vou-lhes repetir um trecho de conversa que ouvi entre três dos tais poetas da Bruzundanga, adeptos extremados da Escola Samoieda.

Quando cheguei, eles já estavam sentados em torno da mesa do café. Acabava eu de assistir uma aula de geologia na Faculdade de Ciências do país; o meu espírito vinha cheio de silhuetas de monstros de outras épocas geológicas. Eram ictiossauros, megatérios, mamutes; era do sinistro pterodáctilo que eu me lembrava; e não sei por quê, quando deparei os três poetas samoiedas, me deu vontade de entrar no botequim e tomar parte na conversa deles.

A Bruzundanga, como sabem, fica nas zonas tropical e subtropical, mas a estética da escola pedia que eles se vestissem com peles de urso, de renas, de martas e raposas árticas.

É um vestuário barato para os samoiedas autênticos, mas caríssimo para os seus parentes literários dos trópicos.

Estes, porém, crentes na eficácia da vestimenta para a criação artística, morrem de fome, mas vestem-se à moda da Sibéria.

Estavam assim vestidos, naquela tarde quente, ali naquele café da capital da Bruzundanga, três dos seus novos e soberbos vates; estavam ali: Kotelniji, Wolpuk e Worspikt, o primeiro que tinha aplicado o *vernier* para "medir" versos.

Abanquei-me e pude perceber que acabavam de ouvir uma poesia do poeta Worspikt. Tratava de lua, de *iceberg*, descobri eu por uma e outra consideração que fizeram.

Nenhum deles tinha visto um *iceberg*, mas gabavam os ouvintes a emoção com que o outro traduzira em verso o espetáculo desse fenômeno das circunvizinhanças dos polos.

Num dado momento Kotelniji disse para Worspikt:

– Gostei muito desse teu verso: "há luna loura linda leve, luna bela!"

O autor cumprimentado retrucou:

– Não fiz mais do que imitar Tuque-Tuque, quando encontrou aquela soberba harmonia imitativa, para dar ideia do luar, "Loga Kule Kulela logalam", no seu poema "Kulelau".

Wolpuk, porém, objetou:

– Julgo a tua excelente, mas teria escolhido a vogal forte "u", para basear a minha sugestão imitativa do luar.

– Como? – perguntou Worspikt.

– Eu teria dito: "Ui! lua uma pula, tu moo! sulla nuit!"

– Há muitas línguas nela, objetou Kotelniji.

– Quantas mais, melhor, para dar um caráter universal à poesia que deve sempre tê-lo, como ensina o mestre – defendeu-se Wolpuk.

– Eu, porém – aduziu Kotelniji –, conquanto permita nos outros certas licenças poéticas, tenho por princípio obedecer às mais duras e rígidas regras, não me afastar delas, encarcerar bem o meu pensamento. No meu caso, eu empregaria a vogal "a" para a harmonia em vista.

– Mas Tuque-Tuque... – fez Worspikt.

– Ele empregou o "e" no tal verso que você citou, devido à pronunciação que essa letra lá tem. É um "e" molhado que evoca bem o luar deles, mas...

– E com "a", como é? – indagou Wolpuk.

– O “a” é o espanto; seria aí o espanto do homem dos trópicos, diante da estranheza do fenômeno ártico que ele não conhece e o assombra.

– Mas Kotelniji, eu visava o luar.

– Que tem isso? Na harmonia em “a” também entra esse fenômeno que é o provocador do teu espanto, causado pela sua singularidade local, e pela hirta presença do *iceberg*, branco, fantástico, que a lua ilumina.

– Bem – perguntou o autor da poesia –, como você faria, Kotelniji?

– Eu diria: “A lua acaba de calar a caraça parva”.

– Mas não teria nada que ver com o tema da poesia – objetou Wolpuk.

– Como? O *iceberg* toma as formas mais variadas... Demais, há sempre onde encaixar, seja qual for a poesia, uma feliz “imitativa”.

– Você tem razão – aplaudiu Wolpuk.

Worspikt concordou também e prometeu aproveitar a maravilhosa *trouvaille* do amigo de letras.

Kotelniji era considerado como um grande poeta samoieda e tinha mesmo estabelecido, com assentimento de todos eles, as leis científicas da escola perfeita, “a samoieda” que ele definia como tendo por escopo não exprimir coisa alguma com relação ao assunto visado, ou dizer sobre ele, pomposamente, as mais vulgares banalidades.

Dentre as leis que estatuía, eu me lembro de algumas. Ei-las:

> 1ª Sendo a poesia o meio de transportar o nosso espírito do real para o ideal, deve ela ter como principal função provocar o sono, estado sempre profícuo ao sonho.
>
> 2ª A monotonia deve ser sempre procurada nas obras poéticas; no mundo, tudo é monótono (Tuque-Tuque).
>
> 3ª A beleza de um trabalho poético não deve ressaltar desse próprio trabalho, independente de qualquer explicação; ela deve ser encontrada com as explicações ou comentários fornecidos pelo autor ou por seus íntimos.
>
> 4ª A composição de um poema deve sempre ser regulada pela harmonia imitativa em geral e seus derivados.

E muitas outras de que me esqueci, mas julgo que só estas ilustram perfeitamente o absurdo da qualificação de leis científicas da arte. Alhos com bugalhos!

Denuncia tal denominação, de modo cabal, a sua incapacidade para grupar ideias, noções e imagens. Que pensaria ele de ciência? Qual era a sua concepção de arte? Será possível decifrar essa história de "leis científicas da arte"? Qual!

Era assim o grande poeta samoieda.

Além de uma gramaticazinha que nós aqui chamamos de tico-tico e da arte poética de Chalat aumentada e explicada com uma lógica de gafanhotos, não possuía ele um acervo de noções gerais, de ideias, de observações, de emoções próprias e diretas do mundo, de julgamentos sobre as coisas, tudo isso que forma o fundo do artista e que, sob a ação de uma concepção geral, lhe permite fazer grupamentos ideais, originalmente, criar enfim.

A importância do vate lhe vinha de redigir *A Kananga*, órgão das casas de perfumarias, leques, luvas e receitas para doces, onde alguns rapazes, sob o seu olhar cioso, escreviam, para ganhar os cigarros, algumas coisas ligeiras.

O bardo samoieda tomava, entretanto, a coisa a sério, como se estivesse escrevendo para a *Revue de Deux Mondes* uma fórmula de mãe-benta; e evitava o mais possível que alguém tomasse pé na pueril *A Kananga*. Era essa a sua máxima preocupação de artista.

De todos os postiços literários, usava, e de todas as mesquinhezes da profissão, abusava.

Era este de fato um samoieda típico no intelectual, no moral, no físico. Tinha fama.

Poderia mais esclarecer semelhante escola, os seus processos, as suas regras, as suas superstições; mas não convém fazer semelhante coisa, porque bem podia acontecer que alguns dos meus compatriotas a quisessem seguir.

Já temos muitas bobagens e são bastantes.

Fico nisto.

UM GRANDE FINANCEIRO

A República dos Estados Unidos da Bruzundanga tinha, como todas as repúblicas que se prezam, além do presidente e juízes de várias categorias, um Senado e uma Câmara de Deputados, ambos eleitos por sufrágio direto e temporários ambos, com certa diferença na duração do mandato: o dos senadores, mais longo; o dos deputados, mais curto.

O país vivia de expedientes, isto é, de cinquenta em cinquenta anos, descobria-se nele um produto que ficava sendo a sua riqueza. Os governos taxavam-no a mais não poder, de modo que os países rivais, mais parcimoniosos na decretação de impostos sobre produtos semelhantes, acabavam, na concorrência, por derrotar a Bruzundanga; e, assim, ela fazia morrer a sua riqueza, mas não sem os estertores de uma valorização duvidosa. Daí vinha que a grande nação vivia aos solavancos, sem estabilidade financeira e econômica; e, por isso mesmo, dando campo a que surgissem, a toda a hora, financeiros de todos os seus cantos e, sobretudo, do seu parlamento.

Naquele ano, isto dez anos atrás, surgiu na sua Câmara um deputado que falava muito em assuntos de finanças, orçamentos, impostos diretos e indiretos e outras coisas cabalísticas da ciência de obter dinheiro para o Estado.

A sua ciência e saber foram logo muito gabados, pois o Tesouro da Bruzundanga, andando quase sempre vazio, precisava desses mágicos financeiros, para não se esvaziar de todo.

Chamava-se o deputado Felixhimino Ben Karpatoso. Se era advogado, médico, engenheiro ou mesmo dentista, não se sabia bem; mas todos tratavam-no de doutor.

O doutor Karpatoso tinha uma erudição sólida e própria em matéria de finanças. Não citava Leroy-Beaulieu absolutamente. Os seus autores prediletos eram o russo-polaco Ladislau Poniatwsky, o australiano Gordon O'Neill, o chinês Ma-Fi-Fu, o americano William Farthing e, sobretudo, o doutor Caracoles y Mientras, da Universidade de Caracas, capital da Venezuela, que, por ser país sempre em bancarrota, dava grande autoridade ao financista de sua principal universidade.

O físico do deputado era dos mais simpáticos. Tinha um ar de Gil-Blas de Santillana, em certas ilustrações do romance de Le Sage, com as suas barbas negras, cerradas, longas e sedosas, muito cuidadas e aparadas à tesoura diariamente. A tez era de um moreno espanhol; os cabelos, abundantes e de azeviche; os olhos, negros e brilhantes; e não largava a piteira de âmbar, com guarnições de ouro, onde fumegava sempre um charuto caro.

O seu saber em matéria de finanças e economia política determinava a sua constante escolha para relator do orçamento da receita. Era de ver como ele escrevia um substancial prefácio ao seu relatório. Não me recordo de todas as passagens importantes de alguns deles; mas, de certas, e é pena que sejam tão poucas, eu me lembro perfeitamente. Eis aqui algumas. Para o orçamento de 1908, o doutor Karpatoso escreveu o seguinte trecho profundo: "Os governos não devem pedir às populações que dirigem, em matéria de impostos, mais do que elas possam dar, afirma Ladislau Poniatwsky. A nossa população é em geral pobríssima, e nós não devemos sobrecarregá-la fiscalmente." Não impediu isto que ele propusesse o aumento da taxa sobre o bacalhau da Noruega, pretextando haver produtos similares nas costas do país.

No orçamento do ano seguinte, ainda como relator da receita, ele dizia: "É missão dos governos modernos, em países de fraca iniciativa individual (o nosso o é), fomentar o aparecimento de riquezas novas, no dizer de Gordon O'Neill. A província das Jazidas, segundo um sábio professor francês, é um coração de ouro sob um peito de ferro. O pico de Ytabhira, etc."

E lembrava à Câmara que indicasse medidas práticas para o aproveitamento do ouro e do ferro da província das Jazidas. A Câmara e o Senado ouviram-no e votaram algumas centenas de contos para uma comissão que estudasse o meio prático de aproveitar o ferro da rica província central. A comissão foi nomeada, montaram o escritório de pesquisas na capital, em lugar semelhante ao Largo da Carioca, e o pico de Ytabhira ficou intacto.

A fama do doutor Karpatoso subia e a sua elegância também. Fez uma viagem à Europa, para estudar o mecanismo financeiro dos países do Velho Mundo. Voltou de lá naturalmente mais sábio; o que, porém, ele trouxe de fato, nas malas, e foi verificado pelos elegantes do país, foram fatos, botas, chapéus, bengalas, *dernier bateau*, como dizem os *smarts* das colônias francesas da Ásia, da África, da América e da Oceania.

Arreado de novo e inteiramente europeu, o doutor Karpatoso começou a figurar nas seções mundanas dos jornais, e, vencendo o senhor Mikel de Longueville, outro deputado da Bruzundanga, foi tido como o parlamentar mais *chic* do Congresso Nacional.

"A elegância do doutor Mikel de la Tour d'Auvergne é um tanto pesada; tem algo da solidez lusitana quando enrijou os músculos ao machado nos cepos dos açougues; a do doutor Ben Karpatoso é mais leve, mais ligeira, mais nervosa. Parece ter sido obtida com o exercício do florete."

Tudo isto foi dito na seção elegante "De Cócoras" do *Diário Mercantil*, jornal da capital, seção redigida por escritor que tinha, em matéria de compor romances, um grande parentesco com aquela raposa das uvas, cuja história La Fontaine contou. *Ils sont trop verts, et bons pour des goujats*, disse a raposa quando não pôde atingir as uvas. Lembram-se?

O elogio que o tal senhor fez aos ademanes do doutor Karpatoso tinha origem no boato a correr de que, muito em breve, ele seria indicado para ministro da Fazenda, e o tal redator da seção "De Cócoras" tinha sempre em mira descobrir os ministros futuros, para ulteriores serviços de sua profissão e recompensas consequentes.

Mikel de Bouillon é que ficou aborrecido com a coisa; mas como tinha certeza de sair, pelo menos, vice-presidente da Bruzundanga, abafou o azedume, encerou bem os bigodes e continuou a pisar os passeios das ruas centrais da capital, com uma estudada solenidade: lento, ereto como um soba africano que tivesse envergado um fardão de oficial de marinha e se coberto com o respectivo chapéu armado, encontrados nos salvados de um naufrágio, em uma praia deserta. Via-se bem que Turenne Calmon era daqueles que se satisfazem em ser o segundo em Roma, e que segundo!

Desde que se rosnou que o doutor Karpatoso seria ministro da Fazenda do futuro quadriênio, a sua casa começou a encher-se. Karpatoso era casado com uma senhora da roça, muito segura das suas origens nobres; ela pertencia à família dos Silvas, cujo armorial e pergaminhos não tinham sido outorgados por nenhum príncipe soberano. Como Napoleão que, segundo dizem, na sua sagração de imperador, pôs ele mesmo a coroa na cabeça, dona Hengrácia Ben Manuela Kilva tinha ela mesmo se enobrecido.

Felixhimino, como bom financeiro que era, possuía qualidades harpagonescas de economia e poupança, de forma que se zangava muito com aquelas despesas de chá e biscoitos, que era obrigado a oferecer aos visitantes. A fim de não mexer nas economias que fazia sobre seu subsídio, teve a ideia genial de fundar uma casa de herbanário, em uma espécie de Rua Larga de São Joaquim da capital da República da Bruzundanga. Arranjou uma pessoa de confiança, que pôs à testa do negócio; e ei-lo a vender chá mineiro, alfavaca, língua-de-vaca, cipó-chumbo, malícia-de-mulher, erva-cidreira, jurubeba, catinga-de-bode, mata-pão, erva-tostão, bicuíba, óleo de capivara, cascos de jacarés, corujas empalhadas, caramujos, sapos secos, jabutis, etc. Em breve, ficou sendo o principal fornecedor dos feiticeiros da cidade, e os lucros foram grandes, de modo que ele pôde, sem mais gravame nas suas finanças, sustentar o seu salão.

Madame Hengrácia Ben Karpatoso, centro de conversa, não se cansava de gabar os árduos trabalhos do marido.

Certa vez, em que houvera recepção na casa do famoso deputado, quando ele já se tinha retirado para os aposentos do andar superior, a fim de estudar não sei o quê, sua mulher ficou na sala de visitas a conversar com algumas amigas e alguns amigos. Alguém, a um tempo da conversa, observou:

– Isto vai tão mal, que não sei mesmo quem nos salvará.

Madame Hengrácia, tal e qual madame de Girardin, em certa ocasião, apontou o dedo para o teto e disse sacerdotalmente:

– Ele!

Todos se entreolharam, e o doutor Moscoso completou:

– Sim, Deus!

– Não – observou dona Hengrácia. – Ele, o Felixhimino, quando for ministro da Fazenda. Ele há de sê-lo em breve.

Todos concordaram. Não se cumpriu, porém, a profecia da pitonisa conjugal, pois o novo presidente da Bruzundanga, Idle Bhrás, não fez Ben Karpatoso ministro do Tesouro.

O sábio deputado continuou, porém, na sua atividade financeira, a relatar orçamentos com saldos, mas que sempre, ao fim do exercício, fechavam-se com *deficits*.

Certo dia, Idle Bhrás de Grafofone e Cinema mandou-o chamar ao palácio e disse-lhe:

– Karpatoso, o orçamento fecha-se sempre com *deficit*. Este cresce de ano para ano... Tenho que satisfazer compromissos no estrangeiro... Espero que você me arranje um jeito de aumentarmos a receita. Você tem estudos sobre finanças e não será difícil para você...

A isto Felixhimino respondeu com toda a segurança:

– Não há dúvidas! Vou arranjar a coisa.

Três dias após, ele tinha as ideias salvadoras: aumentava do triplo a taxa sobre o açúcar, o café, o querosene, a carne-seca, o feijão, o arroz, a farinha de mandioca, o trigo e o bacalhau; do dobro, os tecidos de algodão, os sapatos, os chapéus, os fósforos, o leite condensado, a taxa das latrinas, a água, a lenha, o carvão, o espírito de vinho; criava um imposto de 50% sobre as passagens de trens, bondes e barcas, isentando a seda, o veludo, o *champagne*, etc., de qualquer imposto. Calculando tudo, ele obtinha trinta mil contos. Levou a coisa a Idle Bhrás de Grafofone e Cinema, que gabou muito o trabalho de Ben Karpatoso:

– Tu és um Colbert e mais ainda: és o João Ben Venanko, aquele... Não sabes?... que foi presidente da Câmara de Guaporé, minha terra. Ele sempre teve ideias semelhantes às tuas, mas não as aceitavam, por isso nunca o município prosperou. Entretanto, era um pobre meirinho... Que financeiro!

Apresentadas as ideias de Felixhimino à Câmara, muitos deputados se insurgiram contra elas.

Um objetou:

– Vossa Excelência quer matar de fome o povo da Bruzundanga.

– Não há tal; mas mesmo que viessem a morrer muitos, seria até um benefício, visto que o preço da oferta é regulado pela procura e, desde que a procura diminua com a morte de muitos, o preço dos gêneros baixará fatalmente.

Um outro observou:

– Vossa Excelência vai obrigar o povo a andar nu.

– Não apoiado. O vestuário deve ser uma coisa majestosa e imponente, para bem impressionar os estrangeiros que nos visitem. A seda e a lã ficarão pouco mais caras que os tecidos de algodão. Toda a gente se vestirá de seda ou de lã, e as populações das nossas cidades terão um ar de abastança que muito favoravelmente há de impressionar os estrangeiros.

Um outro refletiu:

– Vossa Excelência vai impedir o movimento de passageiros dentro da cidade e dentro do país.

Será um benefício. O barateamento das passagens só traz a desmoralização da família. Com as passagens caras, diminuirão os passeios, os bailes, as festas, as visitas, os piqueniques, conseguintemente os encontros de namorados, a procura de casas suspeitas, etc., de forma que os adultérios e as seduções sensivelmente hão de ser mais raros.

Dessa maneira, o genial Karpatoso, êmulo do meirinho Ben Venanko, o financeiro, foi arredando uma por uma as objeções que eram feitas ao seu projeto de orçamento da receita.

Houve uma crise no ministério, e logo ele foi nomeado ministro da Fazenda, com o orçamento que fizera votar. Foram tais os processos de contrabando que teve de estudar, tanto meditou sobre eles que, um dia, telegrafou a um seu subalterno que apreendera um grande, um imenso contrabando e prendera os infratores, desta forma: "Fuzile todos".

O homem estava louco e morreu pouco depois. A seção elegante de um jornal de lá, o *Diário Mercantil,* "De Cócoras", fez-lhe o necrológio; o novo ministro, entretanto, não pagou, ao redator dela, nada pelo serviço assombroso que prestara às letras do país.

A NOBREZA DA BRUZUNDANGA

Um leitor curioso e simpático, por ser curioso, escreveu-me uma amável cartinha, pedindo-me esclarecimentos sobre os usos, os costumes, as instituições civis, sociais e políticas da República dos Estados Unidos da Bruzundanga.

Diz-me ele que procurou informações de tal país em compêndios de geografia, em dicionários da mesma disciplina e várias obras, nada encontrando a respeito.

O meu simpático leitor não me disse que obras consultou, mas certamente ele não procurou informações nos livros que o governo da Bruzundanga manda imprimir, dando fabulosos lucros aos impressores e editores, livros escritos em várias línguas e destinados a fazer a propaganda do país no estrangeiro.

É estranho; pois que, por meio de tais livros, muita gente tem feito fortuna e adquirido notoriedade nos corredores das secretarias e nos desvãos do Tesouro da República da Bruzundanga.

Pode ter acontecido, entretanto, que o meu leitor amigo os tivesse procurado nas livrarias principais; mas não é aí que eles podem ser encontrados.

As obras que a república manda editar para a propaganda de suas riquezas e excelências, logo que são impressas, completamente se distribuem a mancheias por quem as queiram. Todos as aceitam e logo passam adiante, por meio de venda. Não julgue o meu correspondente que os sebos as aceitem. São tão mofinas, tão escandalosamente mentirosas, tão infladas de um otimismo de encomenda que ninguém as compra, por sabê-las falsas e destituídas de toda e qualquer honestidade informativa, de forma a não oferecer nenhum lucro aos revendedores de livros, por falta de compradores.

Onde o meu leitor poderá encontrá-las, se quer ter informações mais ou menos transbordantes de entusiasmo pago, é nas lojas de merceeiros, nos açougues, nas quitandas, assim mesmo em fragmentos, pois todos as pedem nas repartições públicas para vendê-las a peso aos retalhistas de carne verde, aos vendeiros e aos vendedores de couves.

Contudo, a fim de que o meu delicado missivista não fique fazendo mau juízo a meu respeito, vou dar-lhe algumas informações sobre o poderoso e rico país da Bruzundanga.

Hoje lhe falarei das nobrezas da grande nação; proximamente, em artigos sucessivos, tratarei de outras instituições e costumes.

A nobreza da Bruzundanga se divide em dois grandes ramos. Talqualmente como na França de outros tempos, em que havia a nobreza de Toga e a de Espada, na Bruzundanga existe a nobreza doutoral e uma outra que, por falta de nome mais adequado, eu chamarei de palpite.

A aristocracia doutoral é constituída pelos cidadãos formados nas escolas, chamadas superiores, que são as de medicina, as de direito e as de engenharia. Há de parecer que não existe aí nenhuma nobreza; que os cidadãos que obtêm títulos em tais escolas vão exercer uma profissão como outra qualquer. É um engano. Em outro qualquer país, isto pode se dar; na Bruzundanga, não.

Lá, o cidadão que se arma de um título em uma das escolas citadas obtém privilégios especiais, alguns constantes das leis e outros consignados nos costumes. O povo mesmo aceita esse estado de coisas e tem um respeito religioso pela sua nobreza de doutores. Uma pessoa da plebe nunca dirá que essa espécie de brâmane tem carta, diploma; dirá: tem pergaminho. Entretanto, o tal pergaminho é de um medíocre papel de Holanda.

As moças ricas não podem compreender o casamento senão com o doutor; e as pobres, quando alcançam um matrimônio dessa natureza, enchem de orgulho a família toda, os colaterais e os afins. Não é raro ouvir alguém dizer com todo o orgulho:

– Minha prima está casada com o doutor Bacabau.

Ele se julga também um pouco doutor. Joana d'Arc não enobreceu os parentes?

A formatura é dispendiosa e demorada, de modo que os pobres, inteiramente pobres, isto é, sem fortuna e relações, poucas vezes podem alcançá-la.

Coisa curiosa! O que mete medo aos candidatos à nobreza doutoral não são os exames da escola superior; são os exames preliminares, aqueles das matrículas que constituem o nosso curso secundário...

Em geral, apesar de serem lentos e demorados, os cursos são medíocres e não constituem para os aspirantes senão uma vigília de armas para serem armados cavaleiros.

O título "doutor" anteposto ao nome tem na Bruzundanga o efeito do "don" em terras de Espanha. Mesmo no Exército, ele soa em todo o seu prestígio nobiliárquico. Quando se está em face de um coronel com o curso de engenharia, o modo de tratá-lo é matéria para atrapalhações protocolares. Se só se o chama *tout court,* doutor Kamisão, ele ficará zangado porque é coronel; se se o designa unicamente por coronel, ele julgará que o seu interlocutor não tem em grande consideração o seu título universitário-militar.

Os prudentes, quando se dirigem a tais pessoas, juntam os dois títulos, mas há ainda aí uma dificuldade na precedência deles, isto é, se se devem designar tais senhores por doutor coronel, ou coronel doutor. Está aí um problema que deve merecer acurado estudo do nosso sábio Mayrinck. Se o nosso grande especialista em coisas protocolares resolver o problema, muito ganhará a fama da inteligência brasileira.

Quanto aos costumes, é isto que se observa em relação à nobreza doutoral. Temos, agora, que ver no tocante às leis.

O nobre doutor tem prisão especial, mesmo em se tratando dos mais repugnantes crimes. Ele não pode ser preso como qualquer do povo. Os regulamentos rezam isto, apesar da Constituição, etc., etc.

Tendo crescido imensamente o número de doutores, eles, os seus pais, sogros, etc., trataram de reservar o maior número de lugares do Estado para eles. Capciosamente, os regulamentos da Bruzundanga vão conseguindo esse *desideratum.*

Assim é que os simples lugares de alcaides de polícia, equivalentes aos nossos delegados, cargos que exigem o conhecimento de simples rudimentos de direito, mas muito tirocínio e hábito de lidar com malfeitores, só podem ser exercidos por advogados, nomeados temporariamente.

A Constituição da Bruzundanga proíbe as acumulações remuneradas, mas as leis ordinárias acharam meios e modos de permitir que os doutores acumulassem. São cargos técnicos que exigem aptidões especiais, dizem. A Constituição não fez exceção, mas os doutores hermeneutas acharam uma.

Há médicos que são ao mesmo tempo clínicos do Hospital dos Indigentes, lentes da Faculdade de Medicina e inspetores dos telégrafos; há, na Bruzundanga, engenheiros que são a um só tempo professores de grego no Ginásio Secundário do Estado, professores de oboé, no Conservatório de Música, e peritos louvados e vitalícios dos escombros de incêndios.

Quando lá estive, conheci um bacharel em direito que era consultor jurídico da principal estrada de ferro pertencente ao governo, inspetor dos serviços metalúrgicos do Estado e examinador das candidatas a irmãs de caridade.

Como veem, eles exercem conjuntamente cargos bem técnicos e atinentes aos seus diplomas.

Um empregado público qualquer que não seja graduado, não pode ser eleito deputado; mas a mesma lei eleitoral faz exceção para aqueles funcionários que exercem cargos de natureza técnica, isto é, doutores. Já vimos que espécie de técnica é a tal tão estimada na Bruzundanga. Convém, entretanto, contar um fato elucidativo. Um doutor de lá que era até lente da Escola dos Engenheiros, apesar de ter outros empregos rendosos, quis ser inspetor da carteira cambial do banco da Bruzundanga. Conseguiu e, ao dia seguinte de sua nomeação, quando se tratou de afixar a taxa do câmbio, vendo que, na véspera havia sido de 15 3/16, o sábio doutor mandou que se o fizesse no valor de 15 3/32. Um empregado objetou:

– Vossa Excelência quer fazer descer o câmbio?

– Como descer? Faça o que estou mandando! Sou doutor em matemática.

E a coisa foi feita, mas o sábio deixou o lugar, para estudar aritmética.

Continuemos a citar fatos para que esta narração tenha o maior cunho de verdade, apesar de que muita coisa possa parecer absurda aos leitores.

Certo dia li, nos atos oficiais do Ministério de Transportes e Comunicações daquele país, o seguinte:

"F., amanuense dos Correios da província dos Cocos, pedindo fazer constar de seus assentamentos o seu título de doutor em Medicina. Deferido".

O pedido e o despacho dispensam qualquer comentário; e, por eles, todos podem aquilatar até que ponto chegou, na Bruzundanga, a superstição doutoral. Um amanuense que se quer recomendar por ser médico, é fato que só se vê no interessante país da Bruzundanga.

Outros casos eloquentemente comprovativos do que venho expondo, posso ainda citar.

Vejamos.

Há pouco tempo, no Conselho Municipal daquele longínquo país, votou-se um orçamento, dobrando e triplicando todos os impostos. Sabem os que ele diminuiu? Os impostos sobre os médicos e advogados. Ainda mais.

Quando se tratou de organizar uma espécie de serviço militar obrigatório, o governo da Bruzundanga, não podendo isentar totalmente os aspirantes a doutor, consentiu que eles não residissem e comessem nos quartéis, no intuito piedoso de não lhes interromper os estudos.

Entretanto, um caixeiro que fosse sorteado perderia o emprego, como todo e qualquer empregado de casa particular.

Há nessa nobreza doutoral uma hierarquia como em todas as aristocracias. O mandarinato chinês, ao qual muito se assemelha essa nobreza da Bruzundanga, tem os seus mandarins botões de safira, de topázio, de rubi, etc. No país em questão, eles não se distinguem por botões, mas pelos anéis. No intuito de não fatigar os leitores, vou dar-lhes um quadro sintético de tal nobreza da Bruzundanga com a sua respectiva hierarquia colocada em ordem descendente. Guardem-no bem. Ei-lo, com as pedras dos anéis:

	Médicos (Esmeralda)
	Advogados (Rubi)
	Engenheiros (Safira)
Doutores	Engenheiros militares (Turquesa)
	Engenheiros geógrafos (Safira e certos sinais no arco do anel)
	Farmacêutico (Topázio)
	Dentista (Granada)

Em linhas gerais, são estas as características mais notáveis da nobreza doutoral da Bruzundanga. Podia acrescentar outras, sobre todos os seus graus. Lembrarei, porém, ao meu correspondente que os três primeiros graus são mais ou menos equivalentes; mas os três últimos gozam de um abatimento de cinquenta por cento sobre o conceito que se faz dos primeiros.

Da outra nobreza, tratarei mais tarde, deixando de lado as meninas das Escolas Normais, com os seus bonés de universidade americana, e os bacharéis em Letras da Bruzundanga, porque lá não são considerados nobres. Entretanto, as primeiras têm um anel distintivo que parece uma montra de joalheria, pela quantidade de pedras que possui; e os últimos anunciam o seu curso com uma opala vulgar. Ambos esses formados são lá considerados como falsa nobreza.

A OUTRA NOBREZA DA BRUZUNDANGA

No artigo precedente, dei rápidas e curtas indicações sobre a primeira espécie da nobiliarquia da República da Bruzundanga. Falei da nobreza doutoral. Agora vou falar de uma outra mais curiosa e interessante.

A nobreza dos doutores se baseia em alguma coisa. No conceito popular, ela é firmada na vaga superstição de que os seus representantes sabem; no conceito das moças casadouras é que os doutores têm direito, pelas leis divinas e humanas, a ocupar os lugares mais rendosos do Estado; no pensar dos pais de família, ele se escuda no direito que têm os seus filhos graduados nas faculdades em trabalhar pouco e ganhar muito.

Enfim, em falta de outra qualquer base, há o tal pergaminho, mais ou menos carimbado pelo governo, com um fitão e uma lata de prata, onde há um selo, e na tampa uma dedicatória à dama dos pensamentos do gentil cavalheiro que se fez doutor.

A outra nobreza da Bruzundanga, porém, não tem base em coisa alguma; não é firmada em lei ou costume; não é documentada por qualquer espécie de papel, édito, código, carta, diploma, lei ou o que seja. Foi por isso que eu a chamei de nobreza de palpite. Vou dar alguns exemplos dessa singular instituição para elucidar bem o espírito dos leitores.

Um cidadão da democrática República da Bruzundanga chamava-se, por exemplo, Ricardo Silva da Conceição. Durante a meninice e a adolescência foi conhecido assim em todos os assentamentos oficiais. Um belo dia, mete-se em especulações felizes e enriquece. Não sendo doutor, julga o seu nome muito vulgar. Cogita mudá-lo de modo a parecer mais nobre. Muda o nome e passa a chamar-se: Ricardo Silva de la Concepción. Publica o anúncio no *Jornal do Comércio* local e está o homem mais satisfeito da vida. Vai para a Europa e, por lá, encontra por toda a parte príncipes, duques, condes, marqueses da Birmânia, do Afeganistão e do Tibete. "Diabo!" pensa o homem. Todos são nobres e titulares, e eu não sou nada disso.

Começa a pensar muito no problema e acaba lendo em um romance folhetim de A. Carrillo, nos *Cavalheiros do Amor*, por exemplo um título espanhol qualquer. Suponhamos que seja: Príncipe de Luna y Ortega. O homem diz lá consigo: "Eu me chamo Concepción, esse nome é espanhol, não há dúvida que eu sou nobre"; e conclui logo que é descendente do tal Príncipe de Luna y Ortega. Manda fazer cartões com a coroa fechada de príncipe, acaba convencido de que é mesmo príncipe, e convencendo os seus amigos da sua prosápia elevada.

Com um destes que se improvisou príncipe assim de uma hora para outra, aconteceu uma anedota engraçada.

Ele se chamava assim como Ferreira, ou coisa que o valha. Fez uma viagem à Europa e voltou príncipe não sei de quê.

Foi visitar as terras dos pais e dos avós que estavam abandonadas e entregues a antigos servidores.

Um dos mais velhos destes veio visitá-lo arrimado a um bastão que escorava a sua grande velhice. Falou ao homem, ao filho do seu antigo patrão como falara ao menino a quem ensinara a armar laços e arapucas.

O novel príncipe formalizou-se e disse:

– Você não sabe, Heduardo, que eu sou príncipe?

– Quá o quê, nhonhô! Vancê não pode sê príncipe. Vancê não é fio de imperadô, cumo é?

O recente nobre, *ci-devant* Ferreira, estomagou-se e não quis mais conversas com aquele velho decrépito que tinha da nobreza ideias tão caducas. Não lhe deu mais trela.

Essa improvisação de títulos se dá pelas formas as mais estranhas.

Um rapaz de certos haveres, cujo pai mourejara muito para arranjar alguns cobres, foi um dia para o estrangeiro, bem enroupado, com algumas libras no bolso. Fora das vistas paternas e sentindo longe a hipocrisia da Bruzundanga, meteu-se em todas as pândegas que lhe passou pela cabeça.

Uma noite, em que estava cercado de damas alegres, em uma mesa de café cantante, uma delas deu na telha de tratá-lo de marquês. Era senhor marquês para aqui; senhor marquês para ali.

O rapaz espantou-se a princípio, mas com o calor da conversa e a insistência da dama, ele perguntou ingenuamente:

– Mas eu sou marquês?

– É – disse a dama galante.

– Como?

– Vou já mostrar ao senhor marquês. Dê-me vinte francos e os nomes de seus pais, que já lhe dou a prova.

Ele assim fez e, dentro de vinte minutos, o rapazola recebia a sua árvore genealógica, donde se concluía que descendia dos marqueses de Livreville. À vista de tão poderoso documento, o cidadão que partira da Bruzundanga simplesmente chamando-se Carlos Chavantes (é uma hipótese), voltou da estranja com o altissonante título de Marquês de Libreville. O pai continuou a chamar-se Chavantes; ele, porém, era marquês. O' manes de d'Hozier!

Alguns nobres da casta dos doutores acumulam também a outra nobreza. São condes ou duques e doutores; e usam alternativamente o título de uma e o da outra aristocracia. Passam assim a ser conhecidos por dois nomes – coisa que é quase verificada entre os malfeitores e outros conhecidos da polícia.

Essa recrudescência de títulos nobiliárquicos apareceu desde que a Bruzundanga se fez república e desconheceu os títulos de nobreza porque o país havia sido governado pelo regime monárquico, com uma nobreza modesta não hereditária, que mais parecia o *tchin* russo, isto é, uma nobreza de burocratas, do que mesmo uma nobreza feudal. O rei que a criou não a chamava mesmo "nobreza", mas *taffetas.*

No país, esses titulares de palpite não têm importância alguma na massa popular. Os do povo respeitam mais um modesto doutor de farmácia pobre do que um altissonante Medina Sidonia de última hora; a *élite*, porém, a nata, essa sim! tem por eles o respeito que se devia aos antigos nobres.

O povo sempre os recebe com o respeito que nós tínhamos, aqui, pelo Príncipe Ubá II, da África.

A gente civilizada e rica, entretanto, não pensa assim, leva-os a sério e os seus títulos são berrados nos salões como se estivessem ali um Montmorency, um conde de Vidigueira, um duque d'Alba, que, por sinal, foi tomado para ascendente de um grave senhor da Bruzundanga, que desejava a incorporação do proletário à sociedade moderna.

Os costumes daquele longínquo país são assim interessantes e dignos de acurado estudo. Eles têm uma curiosa mistura de ingenuidade infantil e idiotice senil. Certas vezes, como que merecem invectivas de profeta judaico; mas, quase sempre, o riso bonachão de Rabelais.

O que ficou dito sobre as suas duas nobrezas, penso eu, justifica esse juízo. E para elas ainda é bom não esquecer que devemos julgá-las como aconselha Anatole France: com ironia e piedade.

A POLÍTICA E OS POLÍTICOS DA BRUZUNDANGA

A minha estada na Bruzundanga foi demorada e proveitosa. O país, no dizer de todos, é rico, tem todos os minerais, todos os vegetais úteis, todas as condições de riqueza, mas vive na miséria. De onde em onde, faz uma "parada" feliz e todos respiram. As cidades vivem cheias de carruagens; as mulheres se arreiam de joias e vestidos caros; os cavalheiros *chics* se mostram, nas ruas, com bengalas e trajos apurados; os banquetes e as recepções se sucedem.

Não há amanuense do Ministério do Exterior de lá que não ofereça banquetes por ocasião de sua promoção ao cargo imediato.

Isto dura dois ou três anos; mas, de repente, todo esse aspecto da Bruzundanga muda. Toda a gente começa a ficar na miséria. Não há mais dinheiro. As confeitarias vivem às moscas; as casas de elegâncias põem à porta verdadeiros recrutadores de fregueses; e os judeus do açúcar e das casas de prego começam a enriquecer doidamente.

Por que será tal coisa? hão de perguntar.

É que a vida econômica da Bruzundanga é toda artificial e falsa nas suas bases, vivendo o país de expedientes.

Entretanto, o povo só acusa os políticos, isto é, os seus deputados, os seus ministros, o presidente, enfim.

O povo tem em parte razão. Os seus políticos são o pessoal mais medíocre que há. Apegam-se a velharias, a coisas estranhas à terra que dirigem, para achar solução às dificuldades do governo.

A primeira coisa que um político de lá pensa, quando se guinda às altas posições, é supor que é de carne e sangue diferente do resto da população.

O valo de separação entre ele e a população que tem de dirigir faz-se cada vez mais profundo. A nação acaba não mais compreendendo a massa dos dirigentes, não lhe entendendo estes a alma, as necessidades, as qualidades e as possibilidades.

Em face de um país com uma população já numerosa em relação ao território ocupado efetivamente, na Bruzundanga os seus políticos só pedem e proclamam a necessidade de introduzir milhares e milhares de forasteiros.

Dessa maneira, em vez de procurarem encaminhar para a riqueza e para o trabalho a população que já está, eles, por meio de capciosas publicações, mentirosas e falsas, atraem para a nação uma multidão de necessitados cuja desilusão, após certo tempo de estadia, mais concorre para o mal-estar do país.

Bossuet dizia que o verdadeiro fim da política era fazer os povos felizes; o verdadeiro fim da política dos políticos da Bruzundanga é fazer os povos infelizes.

Já lhes contei aqui como o doutor Felixhimino Ben Karpatoso, tido como grande financista naquele país, se saiu quando tratou de resolver grandes dificuldades financeiras da nação. Pois bem: esse senhor não é o único exemplo da singular capacidade mental dos homens públicos da Bruzundanga.

Outros muitos eu poderia citar. Há lá um que, depois de umas exibições vaidosas de retratos nos jornais e coisas equivalentes, se casou rico e deu para ser católico praticante.

Encontrou o caminho de Damasco, que é ainda uma cidade opulenta.

Entretanto, eu, quando frequentei a Universidade da Bruzundanga, o conheci como adepto do positivismo do rito do nosso Teixeira Mendes. Quis meter-se na política, fugiu do positivismo e, antes de dez anos, ei-lo de balandrau e vara a acompanhar procissões.

Depois da sua conversão, foi eleito definidor, fabriqueiro, escrivão de várias irmandades e ordens terceiras.

Aliás, na Bruzundanga, não há sujeito ateu ou materialista em regra que, ao se casar com mulher rica, não se faça instantaneamente católico apostólico romano. Assim fez esse meu antigo colega.

Esse homem, ou antes este rapaz, que tão rapidamente se passou de uma ideia religiosa para a outra, esse rapaz cuja insinceridade é evidente, é ajudado em todas as suas pretensões, veleidades, desejos, pelos bispos, frades, padres e irmãs de caridade.

As irmãs de caridade gozam, lá na Bruzundanga, de uma influência poderosa. Não quero negar que, como enfermeiras de hospitais, elas prestem serviços humanitários dignos de todo o nosso respeito; mas não são essas que os cínicos ambiciosos da Bruzundanga cortejam. Eles cortejam aquelas que dirigem colégios de meninas ricas. Casando-se com uma destas, obtêm eles a influência das colegas, casadas também com grandes figurões, para arranjarem posições e lugares rendosos.

Toda a gente sabe como o pessoal eclesiástico consegue manter a influência sobre os seus discípulos, mesmo depois de terminarem os seus cursos. Anatole France, em *L'Église et la République*, mostrou isso muito bem. Os padres, freiras, irmãs de caridade não abandonam os seus alunos absolutamente. Mantêm sociedades, recepções, etc., para os seus antigos educandos; seguem-lhes a vida de toda a forma, no casamento, nas carreiras, nos seus lutos, etc.

De tal forma fazem isto que constituem uma espécie de maçonaria a influir no espírito dos homens, através das mulheres que eles esposam.

E os malandros que sabem dessa teia formada acima dos néscios, dos sinceros e dos honestas de pensamento, tratam de cavar um dote e uma menina das irmãs, o que vem a ser uma e única coisa.

Disse-nos um velho que conheceu escravos na Bruzundanga que foram elas, as irmãs dos colégios ricos, as mais tenazes inimigas da abolição da escravidão. Dominando as filhas e mulheres dos deputados, senadores, ministros, dominavam de fato os deputados, os senadores e os ministros. *Ce que femme veut...*

Na Bruzundanga, onde os casamentos desastrosos abundam como em toda a parte, não é lei o divórcio por causa dessa influência hipócrita e tola, provinda dos ricos colégios de religiosos, onde se ensina a papaguear o francês e acompanhar a missa.

Esta dissertação não foi à toa, em se tratando de política e políticos da Bruzundanga, porque estes últimos são em geral casados com moças educadas pelas religiosas e estas fazem a política do país.

Com esse apoio forte, apoio que resiste às revoluções, às mudanças de regime, eles tratam, no poder, não de atender às necessidades da população, não de lhes resolver os problemas vitais, mas de enriquecerem e firmarem a situação dos seus descendentes e colaterais.

Não há lá homem influente que não tenha, pelo menos, trinta parentes ocupando cargos do Estado; não há lá político influente que não se julgue com direito a deixar para os seus filhos, netos, sobrinhos, primos, gordas pensões pagas pelo Tesouro da República.

No entanto, a terra vive na pobreza; os latifúndios abandonados e indivisos; a população rural, que é a base de todas as nações, oprimida por chefões políticos, inúteis, incapazes de dirigir a coisa mais fácil desta vida.

Vive sugada; esfomeada, maltrapilha, macilenta, amarela, para que, na sua capital, algumas centenas de parvos, com títulos altissonantes disso ou daquilo, gozem vencimentos, subsídios, duplicados e triplicados, afora rendimentos que vêm de outra e qualquer origem, empregando um grande palavreado de quem vai fazer milagres.

Um povo desses nunca fará um *harô*, para obter terras.

A República dos Estados Unidos da Bruzundanga tem o governo que merece. Não devemos estar a perder o latim com semelhante gente; eu, porém, que me propus a estudar os seus usos e costumes, tenho que ir até ao fim.

Não desanimarei e ainda mais uma vez lembro, para bem esclarecer o que fica dito acima, que o grande Bossuet disse que a política tinha por fim fazer a felicidade dos povos e a vida cômoda.

A Águia de Meaux, creio eu, não afirmou isso somente para edificação de algumas beatas...

AS RIQUEZAS DA BRUZUNDANGA

Quando abrimos qualquer compêndio de geografia da Bruzundanga; quando se lê qualquer poema patriótico desse país, ficamos com a convicção de que essa nação é a mais rica da terra.

"A Bruzundanga, diz um livro do grande sábio Volkate Ben Volkate, possui nas entranhas do seu solo todos os minerais da terra."

"A província das Jazidas tem ouro, diamantes; a dos Bois, carvão de pedra e turfa; a dos Cocos, diamantes, ouro, mármore, safiras, esmeraldas; a dos Bambus, cobre, estanho e ferro. No reino mineral, nada pede o nosso país aos outros. Assim também no vegetal, em que é sobremodo rica a nossa maravilhosa terra."

"A borracha, continua ele, pode ser extraída de várias árvores que crescem na nossa opulenta nação; o algodoeiro é quase nativo; o cacau pode ser colhido duas vezes por ano; a cana-de-açúcar nasce espontaneamente; o café, que é a sua principal riqueza, dá quase sem cuidado algum e assim todas as plantas úteis nascem na nossa Bruzundanga com facilidade e rapidez, proporcionando ao estrangeiro a sensação de que ela é o verdadeiro paraíso terrestre."

Nesse tom, todos os escritores, tanto os mais calmos e independentes como os de encomenda, cantam a formosa terra da Bruzundanga.

Os seus acidentes naturais, as suas montanhas, os seus rios, os seus portos são também assim decantados. Os seus rios são os mais longos e profundos do mundo; os seus portos, os mais fáceis ao acesso de grandes navios e os mais abrigados, etc., etc.

Entretanto, quem examinar com calma esse ditirambo e o confrontar com a realidade dos fatos há de achar estranho tanto entusiasmo.

A Bruzundanga tem carvão, mas não queima o seu nas fornalhas de suas locomotivas. Compra-o à Inglaterra, que o vende por bom preço. Quando se pergunta aos sábios do país porque isto se dá, eles fazem um relatório deste tamanho e nada dizem. Falam em calorias, em teor de enxofre, em escórias, em grelhas, em fornalhas, em carvão americano, em *briquettes,* em camadas e nada explicam de todo. Os do povo, porém, concluem logo que o tal carvão de pedra da Bruzundanga não serve para fornalhas, mas, com certeza, pode ser aproveitado como material de construção, por ser de pedra.

O que se dá com o carvão, dá-se com as outras riquezas da Bruzundanga. Elas existem, mas ninguém as conhece. O ouro, por exemplo, é tido como uma das fortunas da Bruzundanga, mas lá não corre uma moeda desse metal. Mesmo nas montras dos cambistas, as que vemos são estrangeiras. Podem ser turcas, abexins, chinas, gregas, mas do país não há nenhuma. Contudo, todos afirmam que o país é a pátria do ouro.

O povo da Bruzundanga é doce e crente, mais supersticioso do que crente, e entre as suas superstições está esta do ouro. Ele nunca o viu, ele nunca sentiu o seu brilho fascinador; mas todo o bruzundanguense está certo de que possui no seu quintal um filão de ouro.

Com o café dá-se uma coisa interessante. O café é tido como uma das maiores riquezas do país; entretanto é uma das maiores pobrezas. Sabem por quê? Porque o café é o maior "mordedor" das finanças da Bruzundanga.

Eu me explico. O café, ou antes, a cultura do café, é a base da oligarquia política que domina a nação. A sua árvore é cultivada em grandes latifúndios pertencentes a essa gente, que, em geral, mal os conhece, deixando-os entregues a administradores, senhores, nessas vastas terras, de baraço e cutelo, distribuindo soberanamente justiça, só não cunhando moeda, porque, desde séculos, tal coisa é privilégio do rei.

Os proprietários dos latifúndios vivem nas cidades, gastando à larga, levando vida de nababos e com fumaças de aristocratas. Quando o café não lhes dá o bastante para as suas imponências e as da família, começam a clamar que o país vai à garra; que é preciso salvar a lavoura; que o café é a base da vida econômica do país; e, zás, arranjam meios e modos de o governo central decretar um empréstimo de milhões para valorizar o produto.

Curiosos economistas que pretendem elevar o valor de uma mercadoria cuja oferta excede às necessidades da procura. Mais sábios, parece, são os donos de armarinho que dizem vender barato para vender muito...

Arranjando o empréstimo, está a coisa acabada. Eles, os oligarcas, nadam em ouro durante cinco anos, todo o país paga os juros, e o povo fica mais escorchado de impostos e vexações fiscais. Passam-se os anos, o café não dá o bastante para o luxo dos doges, dogaresas e dogarinhas da baga rubra, e logo eles tratam de arranjar uma nova valorização.

A manobra da "valorização" consiste em fazer que o governo compre o café por um preço que seja vantajoso aos interessados e o retenha em depósito; mas acontece que os interessados são, em geral, governo ou parentes dele, de modo que os interessados fixam para eles mesmos o preço da venda, preço que lhes dê fartos lucros sem se incomodar que o café venha a ser, senão a pobreza, ao menos a fonte da pobreza da Bruzundanga, com os tais empréstimos para as valorizações.

Além disto, o café esgota as terras, torna-as maninhas, de modo que regiões do país, que foram opulentas pela sua cultura, em menos de meio século ficaram estéreis e sáfaras.

Sobre a cultura do café nas terras da Bruzundanga, eu podia muito dizer e podia também muito epilogar. Não me despeço do assunto totalmente;

talvez mais tarde volte a ele. Há matéria para escrever sobre ela, muito; dá tanto assunto quanto os matadouros de Chicago.

O cultivo da cana e o fabrico de aguardente e açúcar são matéria de que me abstenho de tratar. Abstenho-me porque lá diz o ditado que, com teu amo, não jogues as peras. *Le sage*...

A riqueza mais engraçada da Bruzundanga é a borracha. De fato, a árvore da borracha é nativa e abundante no país. Ela cresce em terras que, se não são alagadiças, são doentias e infestadas de febres e outras endemias. A extração do látex é uma verdadeira batalha em que são ceifadas inúmeras vidas. É cara portanto. Os ingleses levaram sementes e plantaram a árvore da borracha nas suas colônias, em melhores condições que as espontâneas da Bruzundanga. Pacientemente, esperaram que as árvores crescessem; enquanto isto, os estadistas da Bruzundanga taxavam a mais não poder o produto.

Durante anos, essa taxa fez a delícia da província dos Rios. Palácios foram construídos, teatros, hipódromos, etc.

Das margens do seu rio principal, surgiram cidades maravilhosas e os seus magnatas faziam viagens à Europa em iates ricos. As *cocottes* caras infestavam as ruas da cidade. O Eldorado...

Veio, porém, a borracha dos ingleses, e tudo foi por água abaixo, porque o preço de venda da da Bruzundanga mal dava para pagar os impostos. A riqueza fez-se pobreza...

A província deixou de pagar as dívidas e houve desembargadores dela a mendigar pelas ruas, por não receberem os vencimentos desde mais de dois anos.

Eis como são as riquezas do país da Bruzundanga.

O ENSINO NA BRUZUNDANGA

Já vos falei na nobreza doutoral desse país; é lógico, portanto, que vos fale do ensino que é ministrado nas suas escolas, donde se origina essa nobreza. Há diversas espécies de escolas mantidas pelo governo geral, pelos governos provinciais e por particulares. Estas últimas são chamadas livres e as outras, oficiais, mas todas elas são equiparadas entre si e os seus diplomas se equivalem. Os meninos ou rapazes, que se destinam a elas, não têm medo absolutamente das dificuldades que o curso de qualquer delas possa apresentar. Do que eles têm medo é dos exames preliminares. De forma que os filhos dos poderosos fazem os pais desdobrar bancas de exames, pôr em certas mesas pessoas suas, conseguindo aprovar os pequenos em aritmética sem que ao menos saibam somar frações, outros em francês sem que possam traduzir o mais fácil autor. Com tais manobras, conseguem sair-se da alhada e lá vão, cinco ou seis anos depois, ocupar gordas sinecuras com a sua importância de "doutor".

Há casos tão escandalosos que, só em contá-los, metem dó.

Passando assim pelo que nós chamamos preparatórios, os futuros diretores da República dos Estados Unidos da Bruzundanga acabam os cursos mais ignorantes e presunçosos do que quando para lá entraram. São esses tais que berram: "Sou formado! Está falando com um homem formado!" Ou senão quando alguém lhes diz:

– "Fulano é inteligente, ilustrado...", acode o homenzinho logo:

– É formado?

– Não.

– Ahn!

Raciocina ele muito bem. Em tal terra, quem não arranja um título como ele obteve o seu, deve ser muito burro, naturalmente.

Há outros, espertos e menos poderosos, que empregam o seguinte truque. Sabem, por exemplo, que, na província das Jazidas, os exames de matemática elementar são mais fáceis. Que fazem eles? Inscrevem-se nos exames de lá, partem e voltam com as certidões de aprovação.

Continuam eles nessas manobras durante o curso superior. Em tal escola são mais fáceis os exames de tais matérias. Lá vão eles para a tal escola, frequentam o ano, decoram os pontos, prestam ato e, logo aprovados, voltam correndo para a escola ou faculdade mais famosa, a fim de receberem o grau. O ensino superior fascina todos na Bruzundanga. Os seus títulos, como sabeis, dão tantos privilégios, tantas regalias, que pobres e ricos correm para ele. Mas só são três espécies que suscitam esse entusiasmo: o de médico, o de advogado e o de engenheiro.

Houve quem pensasse em torná-los mais caros, a fim de evitar a pletora de doutores. Seria um erro, pois daria o monopólio aos ricos e afastaria as verdadeiras vocações. De resto, é sabido que os lentes das escolas daquele país são todos relacionados, têm negócios com os potentados financeiros e industriais do país e quase nunca lhes reprovam os filhos.

Extinguir-se as escolas seria um absurdo, pois seria entregar esse ensino a seitas religiosas, que tomariam conta dele, mantendo-lhe o prestígio na opinião e na sociedade.

Apesar de não ser da Bruzundanga, eu me interesso muito por ela, pois lá passei uma grande parte da minha meninice e mocidade.

Meditei muito sobre os seus problemas e creio que achei o remédio para esse mal que é o seu ensino. Vou explicar-me sucintamente.

O Estado da Bruzundanga, de acordo com a sua carta constitucional, declararia livre o exercício de qualquer profissão, extinguindo todo e qualquer privilégio de diploma.

Feito isso, declararia também extintas as atuais faculdades e escolas que ele mantém.

Substituiria o atual ensino seriado, reminiscência da Idade Média, onde, no *trivium*, se misturava a gramática com a dialética e, no *quadrivium*, a astronomia e a geometria com a música, pelo ensino isolado de matérias, professadas pelos atuais lentes, com os seus preparadores e laboratórios.

Quem quisesse estudar medicina, frequentaria as cadeiras necessárias à especialidade a que se destinasse, evitando as disciplinas que julgasse inúteis.

Aquele que tivesse vocação para engenheiro de estrada de ferro, não precisava estar perdendo tempo estudando hidráulica. Frequentaria tão somente as cadeiras de que precisasse, tanto mais que há engenheiros que precisam saber disciplinas que até bem pouco só se exigiam dos médicos, tais como os sanitários; médicos, os higienistas, que têm de atender a dados de construção, etc.; e advogados a estudos de medicina legal.

Cada qual organizaria o programa do seu curso, de acordo com a especialidade da profissão liberal que quisesse exercer, com toda a honestidade e sem as escoras de privilégio ou diploma todo-poderoso.

Semelhante forma de ensino, evitando o diploma e os seus privilégios, extinguiria a nobreza doutoral; e daria aos jovens da Bruzundanga mais honestidade no estudo, mais segurança nas profissões que fossem exercer, com a força que vem da concorrência entre homens de valor e inteligência nas carreiras que seguem.

Eu não suponho, não tenho a ilusão que alguém tome a sério semelhante ideia.

Mas desejava bem que os da Bruzundanga a tomassem, para que mais tarde não tenham que se arrepender.

A nobreza doutoral, lá, está se fazendo aos poucos irritante, e até sendo hereditária. Querem ver? Quando por lá andei, ouvi entre rapazes este curto diálogo:

– Mas T. foi reprovado?

– Foi.

– Como? Pois se é filho do doutor F.?

Os pais mesmo têm essa ideia; as mães também; as irmãs da mesma forma, de modo a só desejarem casar-se com os doutores. Estes vão ocupar os melhores lugares, as gordas sinecuras, pois o povo admite isto e o tem achado justo até agora. Há algumas famílias que são de verdadeiros Polignacs doutorais. Ao lado, porém, delas vai se formando outra corrente, mais ativa, mais consciente da injustiça que sofre, mais inteligente, que, pouco a pouco, há de tirar do povo a ilusão doutoral.

É bom não termos que ver, na minha querida Bruzundanga, aquela cena que a nobreza de sangue provocou, e Taine, no começo da sua grande obra *Origens da França Contemporânea*, descreve em poucas e eloquentes palavras. Eu as traduzo:

"Na noite de 14 para 15 de julho de 1789, o duque de Larochefoucaud-Liancourt fez despertar Luís XVI para lhe anunciar a tomada da Bastilha.

– É uma revolta? – pergunta o rei.

– *Sire*, respondeu o duque, é uma revolução."

A DIPLOMACIA DA BRUZUNDANGA

O ideal de todo e qualquer natural da Bruzundanga é viver fora do país. Pode-se dizer que todos anseiam por isso; e, como Robinson, vivem nas praias e nos morros, à espera do navio que os venha buscar.

Para eles, a Bruzundanga é tida como país de exílio ou mais do que isso: como uma ilha de Juan Fernández, onde os humanos perdem a fala por não terem com quem conversar e não poderem entender o que dizem os pássaros, os animais silvestres e mesmo as cabras semisselvagens.

Um dos meios de que a nobreza doutoral lança mão para safar-se do país é obter empregos diplomáticos ou consulares, em falta destes os de adidos e "encostados" às legações e consulados.

Convém notar que, quando digo que a ânsia geral é viver fora do país, excetuo os ativos, aqueles que sugam dos ministérios subvenções, propinas, percentagens e obtêm concessões, privilégios, etc. Estes demoram-se pouco fora dele e, seja governo o partido radical, seja governo o partido conservador, esteja o erário cheio, esteja ele vazio, sabem sempre obter fartos e abundantes recursos monetários de um modo de que só eles têm o segredo. Estes senhores gostam muito da Bruzundanga e são ferozes patriotas.

Mas, como lhes contava, os nobres doutores tratam logo de representar o país em terras estranhas.

Não fazem questão de lugar. Seja no Turquestão ou na Groenlândia, eles aceitam os cargos diplomáticos.

A um, perguntei:

– Mas tu vais mesmo para o Anam?

– Por que não? Não há lá mulheres?

O sonho do jovem diplomático não é ser Talleyrand; é ser Don Juan para uso externo.

Ia até bastante satisfeito, disse-me em seguida, porquanto, lá, não se distinguindo bem a mulher anamita do homem, devia acontecer surpresas bem agradáveis com semelhante "engano d'arma ledo e cego".

A sua aprendizagem para o ofício é simples. Além do corriqueiro francês e os usos da sociedade, os aspirantes a diplomatas começam nos passeios e reuniões da capital da república a ensaiar o uso de roupas, mais ou menos à última moda. Não esquecem nem o modo *chic* de atar os cordões dos sapatos, nem o jeito ultra *fashionable* de agarrar a bengala; estudam os modos apurados de cumprimentar, de sorrir; e, quando se os vê na rua, descobrindo-se para aqui, chapéu tirado da cabeça até à calçada para ali, balouçando a cabeça, lembramo-nos logo dos cavalos do Cabo de *coupé* de casamento rico.

Outra coisa que um recomendável aspirante a diplomata deve possuir são títulos literários. Não é possível que um milhar de candidatos, pois sempre os há nesse número, tenham todos talento literário, mas a maior parte deles não se atrapalha com a falta.

Os mais escrupulosos escrevem uns mofinos artigos e tomam logo uns ares de Shakespeare; alguns publicam livros estafantes e solicitam dos críticos honrosas referências; outros, quando já empregados no ministério, mandam os contínuos copiar velhos ofícios dos arquivos, colam as cópias com goma-arábica em folhas de papel, mandam a coisa para a Tipografia Nacional do país, põem um título pomposo na coisa, são aclamados historiadores, sábios, cientistas e logram conseguir boas nomeações.

Houve um até que não teve escrúpulo em copiar grandes trechos do *Carlos Magno e os Doze Pares de França*, para ter um soberbo título intelectual, capaz de fazê-lo secretário de legação, como ainda o é atualmente.

O mais notável caso de acesso na carreira foi o que obteve o adido à Secretaria de Estrangeiros Horlando. Em um jantar de luxo, houve uma disputa entre dois convidados sobre uma qualidade de peixe que viera à mesa. Um dizia que era garoupa; o outro que era bijupirá. Não houve meio de concordarem. Horlando foi chamado para árbitro. Levou amostras para casa. Mandou tirar fotografias, fez que desenhassem estampas elucidativas, escreveu um relatório de duzentas páginas e concluiu que não era nem garoupa, nem bijupirá, mas cação. O seu trabalho foi tido como um modelo da mais pura erudição culinária, e o moço foi logo encarregado de negócios na Guatemala. É hoje considerado como um dos luzeiros da diplomacia da Bruzundanga.

Cada mandachuva novo traz sempre em mente aumentar o número de legações, de modo que não há país no mundo em que a Bruzundanga não tenha um batalhão de representantes. Muitos desses países não mantêm, com a curiosa república que venho descrevendo, relações de espécie alguma; mas, como é preciso mandar alguns filhos de "figurões" para o estrangeiro, a munificência dos poderes públicos não trepida em criar nelas legações dispendiosas. Há lá até quem reze para que certos países se desmanchem e surjam da separação novos independentes, permitindo o aumento de legações.

Os rapazes, que vão para elas, saem do país muito bons rapazinhos, às vezes mesmo mais ricos de influência que de dinheiro; quando, porém, de lá voltam, só porque viram o emir de Afeganistão ou o sultão de Baçorá, acreditam-se da melhor nobreza... certamente muçulmana.

Os seus modos são outros, os seus gestos estudados, pisam à última moda do centro da Ásia e encetam a conversa sobre qualquer coisa, começando sempre assim:

– Estava eu em Cabul, quando a mulher do ministro russo...

Cabul soa aí como se fosse Paris, Londres ou Roma e os seus auditores consentem em admitir que a capital do Afeganistão seja mesmo um depósito de elegâncias superiores.

Pelo simples fato de terem palmilhado terras estranhas e terem visto naturalmente algumas obras-primas, os diplomatas da Bruzundanga se julgam todos eles artistas, literatos, homens finos, *gentlemen.*

Não pensem que eles publiquem obras maravilhosas, profundas de pensamentos, densas de ideias; não é isso bem o que publicam.

Afora um ou outro que não se veste pelo figurino da maioria, o que eles publicam são sonetos bem rimadinhos, penteadinhos, perfumadinhos, lambidinhos, cantando as espécies de joias e adereços que se encontram nas montras dos ourives.

A isto, eles batizam, por conta própria, de aristocracia da arte, arte superior, arte das delicadezas impalpáveis.

Publicam esses catálogos de ourivesaria, quando não são de modistas e alfaiates, em edições luxuosas; e, imediatamente, apresentam-se candidatos à Academia de Letras da Bruzundanga.

Houve tempo em que ela os aceitava sem detença; mas, ultimamente, devido à sua senilidade precoce, desprezou-os e só vai aceitando os taumaturgos da cidade.

Não há médico milagreiro e afreguesado que não entre para ela e pretira os diplomatas.

Nem sempre foi assim a diplomacia da Bruzundanga. Mesmo depois de lá se ter proclamado a República, os seus diplomatas não tinham o recheio de ridículo que atualmente têm.

Eram simples homens como quaisquer, sem pretensões do que não eram, sem fumaças de aristocracia, nada casquilhos, nem arrogantes.

Apareceu, porém, um embaixador gordo e autoritário, megalômano e inteligente, o visconde de Pancome, que fizeram ministro dos Estrangeiros, e ele transformou tudo.

Empossado no ministério, a primeira coisa que fez foi acabar com as leis e regulamentos que governavam o seu departamento. A lei era ele. O novo ministro era muito popular na Bruzundanga; e vinha a sua popularidade do fato de ter obtido do rei da Inglaterra a comenda de Jarreteira para o mandachuva e seus ministros, assim como o Tosão de Ouro da Espanha para os generais e almirantes.

Todos os senhores hão de se admirar que tal coisa tenha feito o homem popular. É que os bruzundanguenses babam-se inteiramente por esse negócio de condecorações e comendas; e, embora cada qual não tivesse recebido uma, eles se julgavam honrados pelo fato do mandachuva, do ministro, dos generais e almirantes terem recebido condecorações tão famosas no mundo inteiro.

São assim como nós que temos grande admiração pelo barão do Rio Branco por ter adjudicado ao Brasil não sei quantos milhares de quilômetros quadrados de terras, embora, em geral, nenhum de nós tenha de seu nem os sete palmos de terra para deitarmos o cadáver.

O visconde, exaltado no ministério, tendo por lei a sua vontade, baseado na popularidade, fez o que entendeu e a sua preocupação máxima foi dar à representação externa da Bruzundanga um brilho de beleza masculina, cujo cânone ele guardava secretamente para si. Daí veio essa total modificação no espírito da representação exterior do país e não houve bonequinho mais ou menos vazio e empomadado que ele não nomeasse para esta ou aquela legação.

O seu sucessor seguiu-lhe logo as pegadas, não só neste ponto como em outros mais.

O visconde de Pancome era de fato um escritor; o novo ministro não o era absolutamente, mas como substituiu aquele, julgou-se no direito de o ser também e também membro da Academia de Letras, como tinha sido o seu predecessor.

Publicou em papelão um discurso, impresso em letras garrafais, conseguindo assim organizar um volume e foi daí em diante igual ao antecessor em tudo.

Não há mal algum que seja assim a diplomacia daquelas paragens. A Bruzundanga é um país de terceira ordem, e a sua diplomacia é meramente decorativa. Não faz mal, nem bem: enfeita.

E se os maridos e pais da Bruzundanga têm que andar cheios de cuidados, é melhor que tais zelos fiquem ao cargo dos estrangeiros. A diplomacia do país tem a sua utilidade...

A CONSTITUIÇÃO

Quando se reuniu a Constituinte da República da Bruzundanga, houve no país uma grande esperança. O país tinha, até aí, sido governado por uma lei básica que datava de cerca de um século, e todos os jovens julgavam-na avelhentada e já caduca. Os militares do Exército, iniciados nas sete ciências do Pitágoras de Montpellier, criticavam-na da seguinte forma: "Qual! Esta Constituição não presta! Os que a fizeram não sabiam nem Aritmética; como podiam decidir em Sociologia?"

Escusado é dizer que isto não era verdade, mas o critério histórico deles e o seu orgulho escolar pediam que fosse.

Os outros doutores também achavam a Constituição monárquica absolutamente tola, porque, desde que ela fora promulgada, havia surgido um certo jurista alemão ou aparecido um novo remédio para erisipelas. A nova devia ser uma perfeição e trazer a felicidade de todos.

Reuniu-se, pois, a Constituinte com toda a solenidade. Vieram para ela jovens poetas, ainda tresandando à grossa boêmia; vieram para ela imponentes tenentes de artilharia, ainda cheirando aos "cadernos" da escola; vieram para ela velhos possuidores de escravos, cheios de ódio ao antigo regime por haver libertado os que tinham; vieram para ela bisonhos jornalistas da roça recheados de uma erudição à flor da pele, e também alguns dos seus colegas da capital, eivados do Lamartine, *História dos Girondinos*, e entusiastas dos caudilhos das repúblicas espanholas da América. Era mais ou menos esse o pessoal de que se compunha a nova Constituinte.

Tinham entrado no ritual da nova República os banquetes pantagruélicos; e, nas vésperas da reunião, houve um de estrondo.

À sessão inaugural, prestou guarda de honra uma brigada; mas, bem contando, era unicamente um batalhão.

Quando saíram os constituintes, Z., um deles, perguntava de si para si:

– Que vou propor eu?

H. excogitava:

– Devo ser pelo divórcio? Esses padres...

B. meditava:

– Antes não me metesse nisto. O imperador pode voltar e é o diabo...

Quase todos, porém, consideravam com toda a convicção, com todo o acendramento, com um recolhimento religioso:

– Qual a Constituição que devemos imitar?

Em geral, eles esperavam ser escolhidos para a comissão dos 21 que tinha de redigir o projeto da futura lei básica, e era justo que tivessem semelhante preocupação absorvente:

– Qual a Constituição que devemos imitar?

Votado o regimento interno da grande assembleia e tomadas todas as outras disposições secundárias, a comissão dos 21 membros, encarregada de redigir o projeto, foi escolhida; e, em reunião, houve entre os seus membros caloroso debate a respeito de quem deveria ser o relator ou os relatores.

Escolheram, afinal, três sumidades: Felício, Gracindo e Pelino, todos eles *ben* qualquer coisa.

O resto pôs-se a descansar, e os três, em sala separada, no dia seguinte, juntaram-se e trataram dos moldes em que devia ser elaborada a nova Magna Carta.

Pelino foi de parecer que a Constituição futura devia ser vazada no cadinho em que fora a do país dos Huyhnms.

– É um país de cavalos! – exclamou Gracindo.

– Que tem isto? – retrucou Pelino. – Nós somos bastante parecidos com eles.

– Não, não queremos – objetaram os dois outros.

– Então, como vai ser? – perguntou Pelino. – Se não querem à moda dos cavalos, não podemos achar outro modelo, pois o país dos camelos não tem Constituição.

– Façamos a Constituição aos modos da de Lilliput – sugeriu Felício.

– Não me serve! – exclamou Pelino. – Semelhante gente não pesa, é muito pequena!

– Então ao jeito da de Brobdingnag – o país dos gigantes.

Todos acharam justa a proposta e começaram a redigir o projeto de Constituição da Bruzundanga republicana, conforme o paradigma da do país dos gigantes.

Quando Gulliver lá esteve, creio que os senhores se lembram disso, figurou como um verdadeiro brinquedo. Ninguém o levava a sério como homem; era antes um boneco que dormia com as moças e tinha outras intimidades que, se não foram contadas, podem ser adivinhadas.

A população da Bruzundanga, tirante um atributo ou outro, não era composta de pessoas diferentes do doutor Gulliver; eram minúsculos bonecos, portanto, que queriam possuir uma Constituição de gigantes.

Felizmente, porém, já na grande comissão, já no plenário, a imitação foi modificada; e, em muitos pontos, a Carta da Bruzundanga veio a afastar-se da de Brobdingnag. Houve mesmo disposições originais que merecem ser citadas. Assim, por exemplo, a exigência principal para ser ministro era a de que o candidato não entendesse nada das coisas da pasta que ia gerir.

Por exemplo, um ministro da Agricultura não devia entender coisa alguma de Agronomia. O que se exigia dele é que fosse um bom especulador, um agiota, um judeu, sabendo organizar *trusts*, monopólios, estancos, etc.

Os deputados não deviam ter opinião alguma, senão aquelas dos governadores das províncias que os elegiam. As províncias não poderiam escolher livremente os seus governantes; as populações tinham que os escolher entre certas e determinadas famílias, aparentadas pelo sangue ou por afinidade.

Havia artigos muito bons, como por exemplo o que determinava a não acumulação de cargos remunerados e aquele que estabelecia a liberdade de profissão; mas logo surgiu um deputado prudente que estabeleceu o seguinte artigo nas disposições gerais: "Toda a vez que um artigo desta Constituição ferir os interesses de parentes de pessoas da 'situação' ou de membros dela, fica subentendido que ele não tem aplicação no caso".

Na Constituinte, todos esperavam ficar na "situação", de modo que o artigo acima foi aprovado unanimemente.

Com este artigo a Lei Suprema da Bruzundanga tomou uma elasticidade extraordinária. Os presidentes de província, desde que estivessem de acordo com o presidente da República – na Bruzundanga chama-se mandachuva –, faziam o que queriam.

Se algum recalcitrante, à vista de qualquer violação da Constituição, apelava para a Justiça, lá se chama Chicana, logo a Suprema Corte indagava se feria interesses de parentes de pessoas da situação e decidia conforme o famoso artigo.

Um certo governador de uma das províncias da Bruzundanga, grande plantador de café, verificando a baixa de preço que o produto ia tendo de modo a não lhe dar lucros fabulosos, proibiu o plantio de mais um pé que fosse da "preciosa rubiácea".

Era uma lei colonial, uma verdadeira disposição da Carta Régia. Houve então um cidadão que pediu *habeas corpus* para plantar café. A Suprema Corte, à vista do tal artigo citado, não o concedeu, visto ferir os interesses do presidente da província, que pertencia à "situação".

Como todo o mundo não podia pertencer à "situação", os que ficavam fora dela, vendo os seus direitos postergados, começavam a berrar, a pedir justiça, a falar em princípios, e organizavam, desta ou daquela maneira, mazorcas.

Se eram vitoriosos, formavam a sua "situação" e começavam a fazer o mesmo que os outros.

Havia apelo para a Chicana, mas a Suprema Corte, considerando bem o tal artigo já citado, decidia de acordo com a "situação". Era tudo a "situação".

Todos os partidos que não pertenciam a ela pregavam a reforma da Constituição; mas, logo que a ela aderiam, repeliam a reforma como um sacrilégio.

A Constituição afirmava que ninguém podia ser obrigado a fazer ou deixar de fazer alguma coisa, senão em virtude de lei. Não havia lei que permitisse às províncias deportar indivíduos de uma para outra, mas o estado do Kaphet, graças ao tal artigo, deportava quem queria e ainda encomendava aos jornais que o chamassem de província modelo.

A Constituição da Bruzundanga era sábia no que tocava às condições para elegibilidade do mandachuva, isto é, o presidente.

Estabelecia que devia unicamente saber ler e escrever; que nunca tivesse mostrado ou procurado mostrar que tinha alguma inteligência; que não tivesse vontade própria; que fosse, enfim, de uma mediocridade total.

Nessa parte a Constituição foi sempre obedecida.

A República é dura, na Bruzundanga, há cerca de trinta anos. Têm passado pela curul presidencial nada menos do que seis mandachuvas, e não houve, talvez, um que infringisse tão sábias disposições.

A Carta da Bruzundanga, que começou imitando a do país dos gigantes, foi inteiramente obedecida nessa passagem, e de um modo religioso.

No que toca ao resto, porém, ela tem sofrido várias mutilações, desfigurações e interpretações de modo a não me permitir continuar a dar mais apanhados dela, a menos que quisesse escrever um livro de seiscentas páginas.

UM MANDACHUVA

Os leitores que têm seguido estas rápidas notas sobre os usos e costumes, leis e superstições da República da Bruzundanga, não devem ter esquecido que o seu presidente é chamado "mandachuva", e oficialmente.

Já dei até algumas das exigências constitucionais que os candidatos têm de preencher, a fim de ascenderem à curul presidencial daquele país, que fica próximo da ilha dos Lagartos, tão bem descrita pelo meu concidadão Antônio José, que as fogueiras da Inquisição queimaram em Lisboa.

O que pretendo agora, nestas linhas, é fornecer aos leitores o tipo de um presidente da curiosa República, infelizmente tão mal conhecida entre nós, coisa de lastimar, pois ela nos podia fornecer modelos que nos levassem de vez a completo desastre. *Il faut finir, pour recommencer...*

A não ser que suba ao poder, por uma revolta mais ou menos disfarçada, um general mais ou menos decorativo, o mandachuva é sempre escolhido entre os membros da nobreza doutoral; e, dentre os doutores, a escolha recai sobre um advogado.

É justo, pois são os advogados ou bacharéis em Direito que devem ter obrigação de conhecer a barafunda de leis de toda a natureza; embora a arte de governar, segundo o critério dos que filosofam sobre o Estado e o admitem necessário, não peça unicamente o seco conhecimento de textos de leis, de artigos de códigos, de opiniões de praxistas e hermeneutas.

As leis são o esqueleto das sociedades, mas a feição de saúde ou doença destas e as suas necessidades terapêuticas ou cirúrgicas são dadas pelo prévio conhecimento e exame, no momento, do estado de certas partes externas e dos seus órgãos vitais, que são o seu comércio, a sua indústria, as suas artes, os sonhos do seu povo, os sofrimentos dele, toda essa parte mutável das comunhões humanas, cambiante e fugidia, que só os fortes observadores, com grande inteligência, colhem em alguns instantes, sugerindo os remédios eficazes e as providências adequadas, para tal ou qual caso.

Como dizia, porém, na Bruzundanga, em geral, o mandachuva é escolhido entre os advogados, mas não julguem que ele venha dos mais notáveis, dos mais ilustrados, não: ele surge e é indicado dentre os mais néscios e os mais medíocres. Quase sempre é um leguleio da roça que, logo após a formatura, isto é, desde os primeiros anos de sua mocidade até aos quarenta, quando o fizeram deputado provincial, não teve outro ambiente que a sua cidadezinha de cinco a dez mil habitantes, mais outra leitura que a dos jornais e livros comuns da profissão, indicadores, manuais, etc.; e outra convivência que não a do boticário, do médico local, do professor público e de algum fazendeiro menos dorminhoco, com os quais jogava o solo, ou mesmo o "truque" nos fundos da botica.

É este homem que assim viveu a parte melhor da vida, é este homem que só viu a vida de sua pátria na pacatez de quase uma aldeia; é este homem que não conheceu senão a sua camada e que o seu estulto orgulho de doutor da roça levou a ter sempre um desdém bonachão pelos inferiores; é este homem que empregou vinte anos, ou pouco menos, a conversar com o boticário sobre as intrigas políticas de seu lugarejo; é este homem cuja cultura artística se cifrou em dar corda no gramofone familiar; é este homem cuja única habilidade se resume em contar anedotas; é um homem destes, meus senhores, que depois de ser deputado provincial, geral, senador, presidente de província, vai ser o mandachuva da Bruzundanga.

Hão de dizer que, passando por tão altos cargos que se exercem em grandes cidades, nas capitais, o futuro mandachuva há de ter recebido outras impressões e ganhar, portanto, ideias mais amplas. Naturalmente ele há de adquirir algumas, mas não tantas que modifiquem a sua primitiva estrutura mental.

Durante esse longo tempo em que ele passa como deputado, senador, isto e aquilo, o esperançoso mandachuva é absorvido pelas intrigas políticas, pelo esforço de ajeitar os correligionários, pelo trabalho de amaciar os influentes e os preponderantes na política geral e regional. A sua atividade espiritual limita-se a isto.

Os preponderantes e influentes têm todo o interesse em não fazer subir os inteligentes, os ilustrados, os que entendem de qualquer coisa; e tratam logo de colocar em destaque um medíocre razoável que tenha mais ambição de subsídios do que mesmo a vaidade do poder.

Além disso, eles têm que atender aos capatazes políticos das localidades das províncias; e, em geral, estes últimos indicam, para os primeiros postos políticos, os seus filhos, os seus sobrinhos e de preferência a estes: os seus genros.

A ternura de pai quer sempre dar essa satisfação à vaidade das filhas.

O futuro chefe do governo da Bruzundanga começa a sua carreira política pela mão do sogro; e, relacionando-se com os bonzos de sua província, se é esperto e apoucado de inteligência e saber, faz-se ainda mais; na maioria dos casos, porém, não é preciso tanto. Os alcaides ficam logo contentes com ele. Mandam-no para a câmara geral; e, durante a primeira legislatura, encarregam-no de comprar ceroulas, pares de meias, espingardas de dois canos, óculos de grau tanto, de ir às repartições ver tal requerimento, de empenhar-se pelos exames dos nhonhôs, etc...

Quando acaba a legislatura, o Messias anunciado para salvar a Bruzundanga é possuidor de todo esse acervo de serviços ao partido. É reeleito. A sua lealdade e o seu natural prestativo indicam-no logo para *leader* da bancada, senão da Câmara. Ei-lo em evidência. Os jornalistas, grandes e pequenos, não o deixam, elogiam-no, dão-lhe o retrato nas folhas, fazem pilhérias a respeito do homem; e ele autoriza a publicação de atos oficiais do governo de sua província, cujas contas o erário departamental paga generosamente aos seus jornais e revistas.

Os *calenders* provincianos estão cada vez mais contentes com ele e o nosso homem já economizou, sobre subsídios, mais do que a mulher trouxe para a sociedade conjugal.

É um homem metódico, pontual nos pagamentos, não gasta dinheiro em coisas inúteis, como seja em livros.

Uma noite ou outra, vai ao teatro lírico, mas logo se aborrece, não só ele como a futura madame mandachuva. Preferia, madame, estar a dormir naquela hora, e ele a jogar solo na botica, antes do que permanecerem ali, apertados nos vestuários, a ouvir umas cantorias em língua que não entendem. Que saudades do gramofone! Para ele, há secas piores...

Ainda a música ele suporta um tanto, mas as tais exposições de pintura, as sessões de academias... Irra! Que estafa!

Foge de ir a elas; e todo o seu medo é vir a ser presidente da Bruzundanga, pois será obrigado a comparecer a tais festas.

A sua leitura continua a ser os jornais, porém não pega mais nos manuais, nos indicadores de legislação.

As necessidades artísticas de sua natureza se cifram no gramofone doméstico e nos cinemas urbanos ou do arrabalde em que reside. Faz coleção dos programas destes últimos e, com eles, organiza a sua opulenta biblioteca literária.

À proporção que sobe, mostra-se mais carola; não falta à missa, aos sermões, comunga, confessa-se, e os padres e irmãs de caridade têm-no já por aliado. Ah! Quem o visse contar certas anedotas sobre padres, jogando o "truque" nos fundos da botica de sua terra!... História antiga! O homem, hoje, é sinceramente católico, e tanto assim que acompanha procissões de opa ou balandrau.

A ascensão dele a senador até coincidiu com a sua eleição para irmão fabriqueiro da Santíssima Irmandade de Santo Afonso de Ligório e também com a de definidor da Santíssima e Venerável Irmandade de Santo Onofre.

As coisas vão assim marchando; e ele, sempre calado, deixa-se ficar rodando a manivela do gramofone e do seu moinho de rezas.

Há uma complicação na escolha do governador da província das Jazidas, onde ele nasceu. Os alcaides não se entendem e o seu nome é apontado como conciliador, escolhido e eleito. Aborrece-se um pouco, pois já estava habituado com a capital do país e muito gostava dela, apesar de mal a conhecer. Toma posse, entretanto. Surge, ao meio do seu governo regional, não entre os alcaides, mas na comunhão dos emires que governam o país, um desaguisado com o problema da sucessão do mandachuva, cujo tempo está a acabar. O nosso homem não se define. Continua a dar corda no seu enorme e fanhoso gramofone e a rodar a manivela do seu moinho de rezas. Os padres, que são seus aliados, não o abandonam; e nos bastidores, por intermédio das mulheres dos políticos, insinuam-lhe o nome para o alto cargo de mandachuva. Ei-lo eleito, toma posse do cargo e do alcatifado palácio que a nação lhe dá para residência.

O seu primeiro cuidado, e também da mulher, é fechar diversos aposentos para diminuir o número de serviçais, de modo a fazer economias na verba de representação.

O cargo dá-lhe certos incômodos, mas muitas vantagens: não paga selo nas cartas, não paga bonde, trem, nem teatros, onde continua a quase não ir. O que o aborrece, sobretudo, são as audiências públicas, uma importunação para esse parente de São Luís. Mais o amolam que lhe dão fadiga. Ao sair de uma delas, diz à mulher:

– Que povo aborrecido!

– Mas que tem você com o povo? – pergunta madame mandachuva, a egéria conjugal.

Para distrair-se, o esclarecido mandachuva compra um bom gramofone e instala no palácio um cinema.

É conveniente lembrar que, nesse mesmo palácio, ao tempo em que a Bruzundanga era Império, executores famosos no mundo inteiro tinham tocado obras-primas musicais, no violino e no piano. Houve progresso...

Eis aí um mandachuva perfeito.

FORÇA ARMADA

Na Bruzundanga não existe absolutamente força armada. Há, porém, cento e setenta e cinco generais e oitenta e sete almirantes. Além disto, há quatro ou cinco milheiros de oficiais, tanto de terra como de mar, que se ocupam em fazer ofícios nas repartições. O fim principal dessas repartições, no que toca ao Exército, é estudar a mudança de uniformes dos mesmos oficiais. Os grandes costureiros de Paris não têm tanto trabalho em imaginar modas femininas como os militares da Bruzundanga em conceber, de ano em ano, novos fardamentos para eles.

Quando não lhes é possível de todo mudá-los, reformam o feitio do boné ou do calçado. É assim que já usaram os oficiais do Exército de lá, coturnos, borzeguins, sandálias, *sabots* e aquilo que nós chamamos aqui de tamancos.

Entretanto, o Exército da Bruzundanga merece consideração, pois tem boas qualidades que desculpam esses pequenos defeitos. É às vezes abnegado e quase sempre generoso, e eu, que vivi entre os seus oficiais muito tempo, tendo tido muitas questões com eles, posso dizer que jamais os supus tão tolerantes. Foi, no que me toca, um traço que, além de me surpreender, me cativou imensamente. Demais, apesar de toda e qualquer presunção que se lhes possa atribuir, eles têm sempre um sincero respeito pelas manifestações da inteligência, partam elas de onde partirem.

O mesmo não se pode dizer da Marinha. Ela é estritamente militar e os seus oficiais julgam-se descendentes dos primeiros homens que saíram de Pamir. Não há neles a preocupação de constante mudança de fardamento; mas há a de raça, para que a Bruzundanga não seja envergonhada no estrangeiro possuindo entre os seus oficiais de mar alguns de origem javanesa. Os mestiços de javaneses, entretanto, têm dado grandes inteligências ao país, e muitas.

A Marinha da Bruzundanga, porém, com muito pouco entra para o inventário intelectual da pátria que ela diz representar no estrangeiro com os seus navios paralíticos.

Se, de fato, lá houvesse Marinha, podia-se dizer que era mantida pelo povo da Bruzundanga para gáudio e alegria dos países estranhos.

As principais produções dos arsenais de guerra do país são brinquedos aperfeiçoados; e os da Marinha são muito estimados na nação pela perfeição das redes de pescaria que lhe saem dos estaleiros.

Uma das curiosidades da armada daquele país é a indolência tropical dos seus navios que, às vezes, por mero capricho, teimam em não andar.

Enfim, a força armada da Bruzundanga é a coisa mais inocente deste mundo. Em face dela, todo o pacifismo ou humanitarismo é perfeitamente ridículo.

UM MINISTRO

Estas notas sobre a Bruzundanga ameaçam não acabar mais. Temo, ao escrevê-las tão longas como as *Histórias* de Heródoto, não virem elas, apesar disso, merecer a imortalidade da obra do viajante grego.

Contudo, se a posteridade não encontrar nelas algum ensinamento e as desprezar, os contemporâneos do meu país podem achar nestas rápidas narrações de coisas de nação tão remota, moldes, receitas e meios para esbodegar de vez o Brasil.

Esbocei em um capítulo antecedente o tipo de mandachuva da Bruzundanga; agora, vou ver se debuxo o de um ministro daquele país.

A Bruzundanga, como o Brasil, é um país essencialmente agrícola; e, como o Brasil, pode-se dizer que não tem agricultura.

O regime de propriedade agrícola lá, regime de latifúndios com toques feudais, faz que o trabalhador agrícola seja um pária, quase sempre errante de fazenda em fazenda, donde é expulso por dá cá aquela palha, sem garantias de espécie alguma, situação mais agravada ainda pela sua ignorância, pela natureza das culturas, pela politicagem roceira e pela incapacidade e cupidez dos proprietários.

Estes, em geral, são completamente inábeis para dirigir qualquer coisa, indignos da função que a obscura marcha das coisas depositou em suas mãos. Pouco instruídos, apesar de formados nisto ou naquilo, e sem iniciativa de qualquer natureza, despidos de qualquer sentimento de nobreza e generosidade para com os seus inferiores, mais ávidos de riqueza que o mais feroz taverneiro, pimpões e arrogantes, as suas fazendas ou usinas são governadas por eles, quando o são, com a dureza e os processos violentos de uma antiga fazenda brasileira de escravos.

Todos eles são políticos, senão de destaque, ao menos com influência nos lugares em que têm as suas fazendas agrícolas; e, apoiados na política, fazem o que querem, são senhores de baraço e cutelo, eles ou os seus prepostos.

O pária agrícola, chamam lá colono ou caboclo, quando se estabelece nas suas propriedades, tem todas as promessas e todas as garantias verbais. Constrói o seu rancho, que é uma cabana de taipa coberta com o que nós chamamos sapê, e começa a trabalhar para o barão, desta ou daquela maneira. Não me alongo mais sobre a vida deles, porque pouco vivi na roça da Bruzundanga; mas posso asseverar que o trabalhador agrícola daquele país, esteja o café em alta, esteja em baixa, suba o açúcar, desça o açúcar, há trinta anos ganha o mesmo salário, isto é, dez tônios por dia, a seco, o que quer dizer, na nossa moeda, mil quinhentos e dois mil réis, sem alimentação.

Todos os salários têm subido na Bruzundanga, menos os dos trabalhadores agrícolas. A parte povoada e cultivada do país tem já uma razoável população e talvez suficiente para as suas necessidades, mas, à vista do pouco lucro que os trabalhadores agrícolas tiram do seu suor, em breve deixam-se cair em marasmo, em desânimo, ou vêm a morrer de miséria nas cidades, onde se sentem mais garantidos contra o arbítrio dos fazendeiros e seus prepostos.

Como os grandes agricultores e seus parentes são políticos, e deputados, e senadores, e ministros, logo que sentem o êxodo dos naturais, começam a berrar que há falta de braços. Publicam uns fascículos desonestamente otimistas, onde há as maiores hipérboles laudatórias ao clima e à fertilidade da Bruzundanga e atraem emigrantes incautos.

Os primeiros que chegam com aquele fervor de quem "queimou os seus navios", trabalham vigorosamente e abarrotam de dinheiro os régulos das feitorias; mas já seus filhos não são assim. Logo se enchem do mesmo desânimo que os seus patrícios mais antigos, na terra, e começam a cair naquele marasmo, naquela apatia, naquela tristeza, que se evola, com um grande apelo à embriaguez sexual, às cantigas populares do país e cobre a roça da Bruzundanga de um sudário impalpável.

A manobra dos fazendeiros e outros agricultores é mudar, de quando em quando, a nacionalidade dos emigrantes que vão buscar. Assim, eles conseguem manter o fogo sagrado e ter trabalhadores abnegados.

Tudo isto se dá porque o fazendeiro ou grande agricultor da Bruzundanga quer ter da sua cultura lucros imensos que lhe proporcionem uma vida de fausto, a ele, aos filhos que estudam para doutor, às filhas para casarem com a nobreza do país. O crédito agrícola é, por isso, até prejudicial à lavoura da paradoxal República.

Em geral, vivem fora das propriedades, nas grandes cidades, sob o pretexto de educarem as filhas e os filhos, mas com o secreto intuito de arranjar bons partidos matrimoniais para as meninas.

Foi entre semelhantes morubixabas que certo mandachuva escolheu um seu ministro da Agricultura. Remontemos às origens desse cacique do açúcar, os piores da Bruzundanga, pois lidam em geral com os naturais do país que não têm a quem se queixar. Na província das Canas, houvera um turumbamba mais ou menos oficialmente protegido por um mandachuva, motivo esse que derrubou a oligarquia da família dos Cravhos. Um usineiro muito rico da mesma província, Phrancisco Novilho Ben Kosta, mais conhecido por Chico Caiana, tinha adiantado dinheiro e assoldadado gente para que o general Tupinambá tomasse o lugar do soba-mor Cravho Ben Mathos. O general vitorioso ficou muito agradecido ao Chico, e prometeu dar-lhe uma posição de destaque na política.

Chico era o tipo do grande agricultor da Bruzundanga: nada entendia de agricultura, mesmo daquela que dizia exercer.

As canas que moía nos seus engenhos eram plantadas por outros, a quem ele impunha o preço do carro como bem entendia; e, no que toca à moagem e preparo do açúcar, aí já de indústria, ele nada ou pouco conhecia.

Apesar de bacharel em Direito, mal lia os jornais e o seu forte, em Aritmética, era a conta de juros, de cabeça. A sua usina era de fato dirigida por um francês boêmio, Ormesson, a quem chamavam de doutor, apesar de ter ele unicamente um simples curso do Conservatoire des Arts et Métiers, de Paris.

Charles Ormesson, o tal francês, com o ser prático e hábil no ofício, era um extravagante incorrigível; e, como tal, pouco exigente de dinheiro e facilmente explorável. Bebia desregradamente e fazia do feroz doutor Chico Novilho gato e sapato. O doutor Novilho não o despedia, apesar de seus pruridos disciplinadores até à tirania, por sordícia. Caiana nada entendia daqueles mistérios de fazer da cana, açúcar; e, se fosse mexer nos aparelhos, nas turbinas, dosar o caldo, etc., etc., a coisa era capaz de explodir como pólvora. Acrescia mais ainda que ele conseguia pagar a Ormesson o que bem entendia; e, se quisesse substituí-lo, o outro talvez custasse mais caro. Aturava o francês e explorava-o. Conservando Ormesson, reservava o seu autoritarismo para os outros pobres-diabos de empregados subalternos, colonos e mais gente sob o seu guante.

Toda a manhã, em tempo de safra, inteiramente de branco, montado no Quitute, um cavalo ruço-malhado, Caiana corria os canaviais; e, se se encontrava com um comboio de canas, nas usineiras linhas Decauville, olhava a pequena locomotiva e sempre se lembrava de admoestar o foguista-maquinista:

– Olhe o manômetro que não está limpo.

Eis aí a sua agricultura, de que veio tirá-lo o braço forte do general Tupinambá. Vejamos como. Ascendendo à governança da província das Canas, Tupinambá tratou logo de eleger senador da Bruzundanga o seu forte esteio eleitoral, o doutor Chico Caiana. Arranjaram as atas e mandaram-nas, e mais ele, para a capital do país.

Quando saltou, era um gozo ver o Chico Caiana atravessar as ruas com um ostentoso chapéu Panamá, terno de linho branco, botinas inteiriças de pelica amarela e açoiteira pendente do pulso direito. Olhava tudo alvarmente; e, de quando em quando, ficava surpreendido de que ninguém o conhecesse. O doutor Chico Caiana, da usina do Cambambu! Não conhecem? Que gente fútil!

O senado não o quis reconhecer; porém, mandachuva, que tinha a palavra empenhada com Tupinambá, arranjou as coisas. Determinou que o ministro da Guerra fosse estudar na Europa o fabrico dos mais modernos medicamentos alemães; transferiu o ministro da Agricultura para a pasta da Guerra e nomeou Caiana para aquela outra.

Tomando posse, o famoso e prático usineiro imediatamente teve uma grande admiração.

– Onde está aqui agricultura?... Estes papéis... Isto não é prático!... Quero coisas práticas!... Canaviais... Engenhos... Qual! Isto não é prático! Vou fazer uma reforma!

Mandou chamar Ormesson para ajudá-lo e, nesse ínterim, andou às cristas com os seus subalternos. Vinha o chefe da Contabilidade, e ele gritava:

– Qual verba 29, letra A! Isto é uma trapalhada! Quero coisas práticas! Vou chamar o Félix, o meu guarda-livros, lá do Cambambu, a minha usina. Conhece?

O inspetor do serviço de veterinária vinha pedir-lhe autorização para instalar um laboratório, e Caiana berrava:

– Qual laboratório! Qual nada! Tudo isto é pomada! Vou mandar chamar o Nicodemo. Conhece? Pois trata toda a espécie de moléstias de animais com sangria ou óleo de andaiaçu. Quero coisas práticas! Práticas, está ouvindo?

Tendo chegado o francês e o guarda-livros, ele recomendou ao primeiro:

– Ormesson, vê como havemos de fazer isto aqui ser mesmo de agricultura. Quero coisa prática! Hein? Vê lá, se vais beber! Hein?

Ao guarda-livros, ele disse:

– Tome conta dessas coisas de papéis aí, que não pesco nada disso.

A Nicodemos, nada o doutor Chico recomendou, porque o alveitar não quis deixar as Canas.

O francês não bebeu e, dias depois, trouxe o projeto de transformar a chácara da secretaria em campo agrícola.

– Amendoim! – exclamou o ministro. — Não dá nada! Se fosse cana... "Mindobi", só para preta velha vender torrado...

Ele não conhecia, não admitia outra cultura que não fosse a da cana-de-açúcar. Ormesson convenceu-o, e o ministro determinou o plantio aconselhado. Um dos diretores pediu autorização para admitir trabalhadores.

– Trabalhadores! Ponha lá os escriturários, esses escreventes todos...

– Mas...

– Não tem mas, não tem nada! Quem não quiser, deixe o lugar, que eu arranjo outros mais baratos.

Não houve remédio senão os oficiais da sua secretaria de Estado irem puxar o rabo da enxada.

Houve, no ano seguinte, uma complicação internacional e o açúcar começou a ser procurado. Chico Caiana não se importou mais com as coisas do ministério e aproveitou a posição para ganhar dinheiro. Durante muito tempo, o mandachuva não o viu. O guarda-livros era quem lhe levava os atos necessitados da assinatura presidencial.

Um dia o chefe do governo perguntou ao auxiliar do grande agricultor:

– Onde está o doutor Phrancisco Novilho?

– Está ocupado com coisas práticas.

OS HERÓIS

A República da Bruzundanga, como toda a pátria que se preza, tem também os seus heróis e as suas heroínas.

Não era possível deixar de ser assim, tanto mais que a pátria sempre foi feita para os heróis, e estes, sinceros ou não, cobrem e desculpam o que ela tem de sindicato declarado.

Um país como a Bruzundanga precisa ter os seus heróis e as suas heroínas para justificar aos olhos do seu povo a existência fácil e opulenta das facções que a têm dirigido.

O mais curioso herói da pátria bruzundanguense é sem dúvida uma senhora que nada fez por ela, antes lhe perturbou a vida, auxiliando um aventureiro estrangeiro que se meteu nas suas guerras civis.

Para bem compreenderem o meu pensamento, é preciso que antes lhes recorde por alto alguns pontos da história política da Bruzundanga. Vou fazê-lo.

A atual república consta de territórios descobertos pelos iberos e povoados por eles e por outros povos das mais variadas origens.

Os colonizadores fundaram várias feitorias; e, quando fizeram a independência da Bruzundanga, essas feitorias ficaram sendo províncias do Império que foi criado.

Feita a República, elas ficaram mais ou menos como eram, com mais independência e outras regalias. Portanto, é claro que a evolução política da Bruzundanga tinha por expressão a unidade dessas províncias, e era mesmo o seu fim. Qualquer pessoa que tenha tentado, ou venha a tentar, o desmembramento dessas províncias, não pode ser tido como herói nacional.

Pois bem: um senhor estrangeiro, cheio de qualidades, talvez, meteu-se de parceria com uns rebeldes, para separar uma dessas províncias do bloco bruzundanguense. Isto ao tempo do Império. Em caminho, em uma de suas correrias, encontrou-se com uma moça da Bruzundanga que se apaixonou por ele. Seguiu-o nas suas aventuras e combates contra a união bruzundanguense.

Até aí nada de novo. É comum, até. Mas querer fazer de semelhante dama heroína da Bruzundanga, é que nunca pude compreender. Eu me ponho aqui no ponto de vista dos patriotas, para os quais a pátria é una e indivisível. Se me pusesse sob qualquer outro ponto de vista, então a tal dama heroína nada de notável teria a meus olhos a não ser a dedicação até ao sacrifício pelo seu amante, mais tarde seu marido. Isto mesmo, porém, não é virtude que torne uma mulher excepcional, pois é comum nelas, a menos que tal dedicação sirva de moldura às qualidades excepcionais do seu marido ou do seu amante. No caso, porém, encarando-o estritamente sob o aspecto da evolução política da Bruzundanga, o seu marido não era mais do que um aventureiro.

É semelhante senhora que lá, naquelas plagas, comparam a Jeanne d'Arc. Admirável!

Por aí, podem os senhores ver de que estofo são os heróis da Bruzundanga; mas há outros.

Como sabem, a Bruzundanga foi, durante um século, Império ou Monarquia. Há seis ou sete lustros os oficiais do seu exército começaram a ficar descontentes e juntaram-se a outros descontentes civis, que tinham achado para resumir as suas vagas aspirações à palavra República. Começaram a agitar-se e, em breve, tinham a adesão dos senhores de escravos, cuja libertação os fizera desgostosos com o trono da Bruzundanga.

Os amigos do Império, vendo que as coisas perigavam, trataram de enfrentar a corrente com decisão e chamaram, para condestável da Bruzundanga, um velho general que vivia retirado nas suas propriedades agrícolas.

Era de crer que semelhante condestável pudesse ser vencido, mas que confabulasse com os inimigos que vinha combater, não era possível admitir! Pois foi o que ele fez. Não sou eu quem o diz; são os seus próprios companheiros. Ainda há meses, recebi um jornal da Bruzundanga, em que um grande e notável fabricante da República de lá contava como as coisas se tinham passado. Narra esse senhor, como o condestável, nas vésperas da proclamação da República, enganara aqueles que tinham depositado confiança nele, para servir os contrários. Eis aí os começos de um herói da República dos Estados Unidos da Bruzundanga! Ele, porém, ainda nos merece mais algumas palavras. Este último herói é lá chamado Consolidador da República. Sabem por quê? Porque não consolidou coisa alguma. Não houve mandachuva, pois ele o foi, da Bruzundanga, quem mais desrespeitasse as leis da República. Entender-se-ia que a havia consolidado se o seu governo fosse fecundo dentro das leis da Bruzundanga. Ele, porém, saltou por cima de todas elas e governou a seu talante. Mostrou que as leis da República não prestavam e, longe de consolidá-las, abalou-as nos seus fundamentos. Tal coisa, na hipótese do seu governo ter sido bom e fecundo; mas não o foi. Isto, porém, não nos interessa. Ele é um dos heróis da Bruzundanga que, em falta de um Carlyle, teve um aqui escultor que lhe fez um monumento, ereto em uma das praças da capital, monumento tão curioso que precisa de um guia, de um tratado escrito, para ser compreendido. Arte do futuro; Beyreuth da Bruzundanga.

Outro herói da Bruzundanga é o visconde de Pancome. Este senhor era de fato um homem inteligente, mesmo de talento; mas lhe faltava o senso do tempo e o sentimento do seu país. Era um historiógrafo; mas não era um historiador. As suas ideias sobre história eram as mais estreitas possíveis: datas, fatos, estes mesmos políticos. A história social, ele não a sentia e não a estudava. Tudo nele se norteava para a ação política e, sobretudo, diplomática. Para ele, os seus atos deram a entender isto, um país só existe para ter importância diplomática nos meios internacionais. Não se voltava para o interior do país, não lhe via a população com as suas necessidades e desejos. Pancome sempre tinha em mira saber como havia de pesar, lá fora, e ter o aplauso dos estrangeiros.

Sabendo bem a história política da Bruzundanga, julgava conhecer bem a nação. Sabendo bem a geografia da Bruzundanga, imaginava ter o país no coração.

Entretanto, forçoso é dizer que Pancome desconhecia as ânsias, as dificuldades, as qualidades e os defeitos de seu povo. A história econômica e social da Bruzundanga ainda está por fazer, mas um estadista, critério clássico, deve tê-la no sentimento. Pancome não a tinha absolutamente. A sua visão era unicamente diplomática e tradicionalista.

Estava como embaixador em um país qualquer e um mandachuva fê-lo ministro de Estrangeiros. Logo que tomou posse, o seu primeiro cuidado foi mudar o fardamento dos contínuos. Pôs-lhes umas longas sobrecasacas com botões dourados. A primeira reforma. Tendo conseguido adjudicar à Bruzundanga vastos territórios, graças à leitura atenta de modestos autores esquecidos, a sua influência sobre o ânimo do mandachuva era imensa. Convenceu-o de que devia modificar radicalmente o aspecto da capital. Era preciso, mas devia ser feito lentamente. Ele não quis assim, e eis a Bruzundanga, tomando dinheiro emprestado, para pôr as velhas casas de sua capital abaixo. De uma hora para outra, a antiga cidade desapareceu e outra surgiu como se fosse obtida por uma mutação de teatro. Havia mesmo na coisa muito de cenografia.

Não contente com isto, convenceu o mandachuva que devia adquirir uma esquadra poderosa. Eis a Bruzundanga a pedir dinheiro aos judeus da *city* para construir uma esquadra poderosa. E as festas? E os anúncios?

À vista do seu exemplo, nenhum ministro quis ficar atrás. Todos porfiaram nos gastos. Anos depois, os *deficits* aumentavam, os impostos aumentavam, os preços de todos os gêneros aumentavam; mas a gente do país não deu pela origem da crise, tanto assim que, quando Pancome morreu, fez-lhe a maior apoteose que lá se há visto. Os heróis e o povo da República dos Estados Unidos da Bruzundanga são assim, caros senhores.

A SOCIEDADE

É deveras difícil dizer qualquer coisa sobre a sociedade da Bruzundanga. É difícil porque lá não há verdadeiramente sociedade estável. Em geral, a gente da terra que forma a sociedade só figura e aparece nos lugares do tom durante muito pouco tempo. Os nomes mudam de trinta em trinta anos, no máximo. Não há, portanto, na sociedade do momento tradição, cultura acumulada e gosto cultivado em um ambiente propício. São todos arrivistas e viveram a melhor parte da vida tiranizados pela paixão de ganhar dinheiro, seja como for. Os melhores e os mais respeitáveis são aqueles que enriqueceram pelo comércio ou pela indústria honestamente, se é possível admitir que se enriqueça honestamente.

Esses, porém, fatigados, embotados, não formam bem a sociedade, embora as suas filhas e mulheres façam parte dela.

Os que formam direitamente a grande sociedade são os médicos ricos, os advogados afreguesados, os tabeliães, os políticos, os altos funcionários e os acumuladores de empregos públicos.

Por mais que se esforcem, por mais que queiram, semelhantes homens, atarefados dia e noite, nos escritórios, nas repartições, nos tribunais, nos cartórios, na indústria política, não podem ter o repouso de espírito, o ócio mental necessário à contemplação desinteressada e à meditação carinhosa das altas coisas. Limitam-se a pousar sobre elas um olhar ligeiro e apressado; e a preocupação de manter os empregos e fazer render os cartórios, tirar-lhes-á o sossego de espírito para apreciar as grandes manifestações da inteligência humana e da natureza.

Pode ser definida a feição geral da sociedade da Bruzundanga com a palavra medíocre.

Vem-lhe isto não de uma incapacidade nativa, mas do contínuo tormento de cavar dinheiro, por meio de empregos e favores governamentais, do sentimento de insegurança de sua própria situação.

Em uma sala, se se ouve conversa das senhoras, digo senhoras, a preocupação não é outra se não saber se fulano será ministro, para dar tal ou qual comissão ao marido ou ao filho. Uma outra criticará tal ou qual pessoa poderosa porque não arranjou para o pai uma concessão qualquer. É assim.

Uma tão vulgar preocupação pauta toda a vida intelectual da sociedade bruzundanguense, de modo que, nas salas, nos salões, nas festas, o tema geral dos comensais é a política; são as combinações de senatorias, de governanças, de províncias e quejandos.

A política não é aí uma grande cogitação de guiar os nossos destinos; porém, uma vulgar especulação de cargos e propinas.

Sendo assim, todas as manifestações de cultura dessa sociedade são inferiores. A não ser em música, isto mesmo no que toca somente a executantes, os seus produtos intelectuais são de uma pobreza lastimável.

Há lá salões literários e artísticos, mas de nenhum deles surgiu um Montesquieu com o *Espírito das Leis*, como saiu do de Madame du Deffand. As obras mais notáveis que lá têm aparecido são escritas por homens que vivem arredados da sociedade bruzundanguense.

Em uma sala desse país, quando não se trata de intrigas políticas ou coisas frívolas de todos os dias, surge logo um tédio inconcebível. Ele sepulta o pensamento, antes de matá-lo: enterra-o vivo. Mereceria detalhes, mas só fazendo romance ou comédia.

A gente da Bruzundanga gosta de raciocinar por aforismos. Sobre todas as coisas, eles têm etiquetadas uma coleção deles.

Se se fala em uma sala ou em outro qualquer lugar de sociedade de coisas literárias, logo um aforista sentencia:

– A arte deve ser impessoal. Os grandes artistas, etc.

Naturalmente, ele se lembrou de Dante, que pôs no inferno os seus inimigos e no céu os seus amigos.

Incapaz de fazer aparecer do seu seio razoáveis manifestações intelectuais, ele é ainda mais incapaz de apoiar as que nascem fora dela.

A pintura, que sempre foi arte dos ricos e abastados, não tem, na Bruzundanga, senão raros amadores. Os pintores vivem à míngua, e se querem ganhar algum dinheiro, têm que se rojar aos pés dos poderosos, para que estes lhes encomendem quadros, por conta do governo.

Porque eles não os compram com o dinheiro seu, senão os de vagas celebridades estrangeiras que aportam às plagas do país com grandes carregações de telas. É outro feitio da gente imperante da Bruzundanga de só querer ser generosa com os dinheiros do Estado. Quando aquilo foi Império, não era assim; mas, desde que passou a República, apesar da fortuna particular ter aumentado muito, a moda da generosidade à custa do governo se generalizou.

Se um desses engraçados mecenas julga que deve proteger tal ou qual pessoa; que esta precisa viajar à Europa, aperfeiçoar-se, não lhe subvenciona a viagem, não tira nem um ceitil dos seus mil e mais contos. Sabem o que faz? Influi para que ele receba um pagamento indevido do Tesouro ou promove uma fantástica comissão para o indivíduo.

É assim o mecenato da Bruzundanga. A falta de generosidade e a sua inquietude pelo dia de amanhã ferem logo a quem examina a sociedade daquele país, mesmo perfunctoriamente.

Basta ler os testamentos dos seus ricos e compará-los com os que fazem os humildes iberos, que lá enriqueceram em misteres humildes, para sentir a inferioridade moral da sociedade da Bruzundanga.

Nestes últimos, há mesmo um grande pensamento da hora da morte, quando fazem legados a amigos, a parentes afastados, a criados, a instituições de caridade; mas, nos daqueles, só se topa com o mais atroz egoísmo. Lembro-me de um ricaço de lá que, ao morrer, fez avultados legados aos netos, filhos de sua filha, com a condição de que deviam usar o nome dele, coisa que, como se sabe, se não é contrária às leis, ofende os costumes. O sobrenome tira-se do do pai, lá como aqui.

Por falar em coisas de morte, convém recordar que os cemitérios dessa gente, ou por outra, os túmulos das pessoas da alta roda da Bruzundanga, são outra manifestação da sua pobreza mental.

São caros jazigos ou carneiros de mármore de Carrara, mas os ornatos, as estátuas, toda a concepção deles, enfim, é de uma grande indigência artística. Raros são aqueles que pedem a escultores que os façam. Todos os encomendam a simples marmoristas, que os recebem, aos montes, da Itália.

As suas casas são desoladoras arquitetonicamente. Há modas para elas. Houve tempo em que era a de compoteiras na cimalha; houve tempo das cúpulas bizantinas; ultimamente era de mansardas falsas. Carneiros de Panúrgio...

A sua capital, que é um dos lugares mais pitorescos do mundo, não tem nos arredores casas de campo, risonhas e plácidas, como se veem em outras terras.

Tudo lá é conforme a moda. Um antigo arrabalde da capital, que há quantos anos era lugar de chácaras e casas roceiras, passou a ser bairro aristocrático; e logo os panurgianos ricos, os que se fazem ricos ou fingem sê-lo, banalizaram o subúrbio, que ainda assim é lindo.

Um dos toques da mediocridade da sociedade da Bruzundanga é a sua incapacidade para manter um teatro nacional.

O teatro é por excelência uma arte de sociedade, de gente rica. Ele exige vestuários caros, joias, carros, tudo isso que só se pode obter com a riqueza. Pois os ricos da Bruzundanga não animam as tentativas que se têm feito para fazer surgir um teatro indígena, e todas têm fracassado.

Ela se contenta com a ópera italiana ou com as representações de celebridades estrangeiras.

Poderia ainda falar nas suas festas íntimas, nos seus casamentos, nos seus batizados, nas suas datas familiares; mas, por hoje, basta o que vai dito, e é o bastante para mostrar de que maneira a aristocracia da Bruzundanga é incapaz de representar o papel normal das aristocracias: criar o gosto, afinar a civilização, suscitar e amparar grandes obras.

Se falei aqui em aristocracia, foi abusando da retórica. O meu intento é designar com tão altissonante palavra não uma classe estável que detenha o domínio da sociedade da Bruzundanga e a represente constantemente, mas os efêmeros que, por instantes, representam esse papel naquele interessante país.

Explicado este ponto, posso ir adiante nas minhas breves notas sobre o país da Bruzundanga.

AS ELEIÇÕES

Dentre as muitas superstições políticas do nosso tempo, uma das mais curiosas é sem dúvida a das eleições. Admissíveis quando se trata de pequenas cidades, para a escolha de autoridades verdadeiramente locais, quase municipais, como eram na antiguidade, elas tomam um aspecto de sortilégio, de adivinhação, ao serem transplantadas para os nossos imensos estados modernos. Um deputado eleito por um dos nossos imensos distritos eleitorais, com as nossas dificuldades de comunicação, quer materiais, quer intelectuais, sai das urnas como um manipanso a quem se vão emprestar virtudes e poderes que ele quase sempre não tem. Os seus eleitores não sabem quem ele é, quais são os seus talentos, as suas ideias políticas, as suas vistas sociais, o grau de interesse que ele pode ter pela causa pública; é um puro nome sem nada atrás ou dentro dele. O eleito, porém, depois de certos passes e benzeduras legais, vai para a Câmara representar-lhes a vontade, os desejos e, certamente, procurar minorar-lhes os sofrimentos, sem nada conhecer de tudo isto.

A superstição eleitoral é uma das nossas coisas modernas que mais há de fazer rir os nossos futuros bisnetos.

Na Bruzundanga, como no Brasil, todos os representantes do povo, desde o vereador até ao presidente da República, eram eleitos por sufrágio universal, e, lá, como aqui, de há muito que os políticos práticos tinham conseguido quase totalmente eliminar do aparelho eleitoral este elemento perturbador – "o voto".

Julgavam os chefes e capatazes políticos que apurar os votos dos seus concidadãos era anarquizar a instituição e provocar um trabalho infernal na apuração porquanto cada qual votaria em um nome, visto que, em geral, os eleitores têm a tendência de votar em conhecidos ou amigos. Cada cabeça, cada sentença; e, para obviar os inconvenientes de semelhante fato, os mesários da Bruzundanga lavravam as atas conforme entendiam e davam votações aos candidatos, conforme queriam.

Na capital da Bruzundanga, Bosomsy, onde assisti a diversas eleições, o espetáculo delas é o mais ineditamente pitoresco que se pode imaginar.

As ruas ficam quase desertas, perdem o seu trânsito habitual de mulheres e homens atarefados; mas para compensar tal desfalque passam constantemente por elas carros, automóveis, pejados de passageiros heterogêneos. O doutor-candidato vai neles com os mais cruéis assassinos da cidade, quando ele mesmo não é um assassino; o grave chefe de seção, interessado na eleição de F., que prometeu fazê-lo diretor; o grave chefe, o homem severo com os vadios de sua burocracia, não trepida em andar de cabeça descoberta, com dois ou três calaceiros conhecidíssimos. A fisionomia aterrada e curiosa da cidade dá a entrever que se está à espera de uma verdadeira batalha; e a julgar-se pelas fisionomias que se amontoam nas seções, nos carros, nos cafés e botequins, parece que as prisões foram abertas e todos os seus hóspedes soltos naquele dia.

Raro é o homem de bem que se faz eleitor, e se alista, para atender a pedidos de amigos, não tarda que o seu diploma sirva a outro cidadão mais prestante, que no dia do pleito, para fins eleitorais, muda de nome e toma o do pacato burguês que se deixa ficar em casa, e vota com eles. Isto é o que lá se chama: "um fósforo".

Às vezes semelhantes eleitores votam até com nomes de mortos, cujos diplomas apresentam aos mesários solenes e hieráticos que nem sacerdotes de antigas religiões. Quer um, quer outro serviço eleitoral, constituem os préstimos mais relevantes que se podem prestar aos políticos de profissão.

Tais costumes eleitorais da Bruzundanga são fonte de muitos casos cômicos, mas, por serem quase semelhantes aos que se passam entre nós, abstenho-me de narrá-los. Entretanto, vou dar-lhes o depoimento de um ingênuo e inteligente eleitor, que descreve a sua iniciação eleitoral na Bruzundanga e os característicos do exercício dos direitos políticos que a sua Constituição outorga aos cidadãos.

Trata-se de uma das melhores relações que travei naquele país. Ao tempo em que nos conhecemos, ele tinha aí os seus vinte e seis anos e já havia publicado algumas memórias interessantes sobre a paleontologia da Bruzundanga.

Não sei, ao certo, se continuou com brilho a sua estreia brilhante; mas suspeito que não.

A sociedade da Bruzundanga mata os seus talentos, não porque os desdenhe, mas porque os quer idiotamente mundanos, cheios de empregos, como enfeites de sala banal.

O meio inconsciente de que ela se serve para tal fim é o casamento.

O rapaz começa a fazer ruído e logo todos o cercam, já os de sua camada, já os de camada superior, se é de extração modesta.

É natural que ele encontre entre tantas damas da roda que o cerca a do seu pensamento.

Ei-lo casado; a mulher, porém, não pode compreender sábio que não ganhe muito dinheiro e viva modestamente. Não compreende nem Spinosa, nem Fabre. Se não se faz católico praticamente, o rapaz, para arranjar bons empregos, faz-se charlatão, acólito de políticos, já não medita, perde a pertinácia para as pesquisas originais, publica compilações rendosas e enche-se de cargos públicos e particulares. É esta a trajetória de todas as "esperanças" intelectuais da Bruzundanga.

Penso, por isso, que o meu amigo, Halaké Ben Thoreca, como todos os seus iguais, banalizou-se com o casamento e a consequente cavação de empregos. Tratemos, porém, da sua estreia eleitoral, como ele me contou. Vamos ouvi-lo:

"Pelos meus vinte e dois anos, uma manhã, li um artigo eloquente em que se lembrava aos bruzundanguenses a necessidade, o dever de inscrever os seus nomes no próximo alistamento eleitoral. Li e fiquei convencido. Depois de árduos trabalhos, obtive o diploma; e, nas vésperas da eleição, pus-me a estudar os manifestos dos candidatos ao cargo espinhoso de deputado. Fiquei perplexo.

Julho Ben Khosta, com mais de vinte anos de prática no ofício de candidato, prometia, caso fosse eleito, propugnar a disseminação de livros e estampas; e, hoje mesmo, apesar de homem feito, passa horas e horas a folheá-los. A promessa de Julho Ben Khosta demoveu-me a empenhar-lhe o meu voto. Não durou muito essa minha resolução. Na mesma coluna dos apedidos do jornal, a plataforma do doutor Karaban acenava-me com uma grande esperança.

Este doutor gastava frases e juramentos, prometendo que faria decretar a aprovação compulsória dos estudantes reprovados.

Calculem que eu tinha quatro bombas em Mecânica e, por aí, poderão imaginar como fiquei contente com semelhante candidato.

Foi tiro e queda: decidi votar no doutor Karaban. Saí bem cedo para almoçar qualquer coisa.

Na pensão um meu amigo pediu-me que votasse no Kasthriotoh. "É um moço muito pobre, está quase na miséria – disse-me o amigo –, cheio de família; precisa muito do subsídio".

Tive dó e, quando deixei o almoço, tinha o arraigado propósito de votar no indigente Kasthriotoh. Dirigi-me, no dia próprio, para a seção eleitoral, e esperei. Chamaram-me, afinal.

Quase a tremer, no alevantado fito de influir nos destinos da Pátria consegui atravessar por entre duas filas de homens de aspecto feroz, que me olhavam desdenhosamente.

Sentei-me, mostrei o meu título, assinei um livro, depus a cédula na urna e fiquei um momento cismando diante da esbelteza de um longo arco abatido que, de uma única *enjambée* e com uma flecha relativamente diminuta, vencia, com suave elegância, toda a largura do átrio do palácio vice-real, onde funcionava a seção eleitoral.

Creio que me demorei indecentemente nessa admiração, porque vi as minhas cismas interrompidas pelo grito enérgico do coronel mesário-presidente:

– O senhor não se levanta! – berrou o homem. Obedecendo, afastei-me corrido de vergonha e atravessei de novo por entre aquelas mesmas caras ferozes que me tinham visto passar um pouco antes, no alevantado intuito de influir nos destinos da Pátria.

Aguardei o resultado quieto, a um canto.

Estava seriamente interessado em impedir que o pobre Kasthriotoh morresse de fome, com a mulher, filhos, sogra, cunhadas, etc.

Estive assim cerca de duas horas, ao fim das quais alguns daqueles sujeitos horrendos se aproximaram e, fingindo que o faziam às ocultas, começaram a examinar facas, punhais, estoques, garruchas e revólveres que traziam. Via perfeitamente tais armas e descobri que mesmo para isso é que eles tal coisa faziam.

Fascinaram-me e não pude desviar o olhar. Foi a minha desgraça, Deus dos Céus! Um deles ergueu o chapéu ao alto da cabeça e fez para mim, encarando-me com horrorosa catadura:

– Que está olhando?

– Nada, não senhor – respondi eu.

– Vá... Você está aí com parte de siri sem unha... Arreda!

E, sem saber como, vi-me envolvido em um formidável rolo e levei uma porção de pauladas e quatro facadas.

Mandaram-me para a Santa Casa, onde meu amigo Hanthônio me foi visitar:

– Que foi isto? – perguntou-me.

– Direitos políticos.

Depois de restabelecido, vim a saber que o Kasthriotoh não tivera um único voto e arranjara um emprego modesto que dava para fazê-lo viver e mais a família com café e pão sem manteiga. A ata, eu a pude ver mais tarde, estava um primor de autenticidade, pois tinha sido falsificada com toda a perfeição por um espanhol que vivia do ofício eleitoral de falsificar atas de eleições. Eis como foi a minha estreia eleitoral."

Os meus leitores poderão verificar que, no ponto de vista eleitoral, a Bruzundanga nada tem que invejar da nossa cara pátria.

UMA CONSULTA MÉDICA

Na Bruzundangas, quando lá estive, a fama do doutor Adhil Ben Thaft não cessava de crescer.

Não havia dia em que os jornais não dessem notícias de mais uma proeza por ele feita, dentro ou fora da medicina. Em tal dia, um jornal dizia: "O doutor Adhil, esse maravilhoso clínico e excelente *goal-keeper*, acaba de receber um honroso convite do Libertad Football Club, de São José de Costa Rica, para tomar parte na sua partida anual com o Ayroca Football Club, de Guatemala. Todo o mundo sabe a importância que tem esse desafio internacional, e o convite ao nosso patrício representa uma alta homenagem à ciência da nossa terra e ao *football* nacional. O celebrado mestre, porém, não pôde aceitar o convite, pois a sua atividade mental anda agora norteada para a descoberta da composição da Pomada Vienense, específico muito conhecido para a cura dos calos".

O extraordinário clínico vivia assim mais citado nos jornais que o próprio mandachuva e o seu nome era encontrado em todas as seções dos cotidianos. A seção elegante do *O Conservador*, logo ao dia seguinte da notícia acima, editada nos *sueltos* do jornal ocupou-se do famoso médico da seguinte maneira:

"O doutor Adhil apareceu ontem no Lírico inteiramente *fashionable.* O milagroso clínico saltou do seu *coupé* completamente nu. Não se descreve o interesse das senhoras e o maior ainda de muitos homens. Eu fiquei babado de gozo."

A fama do doutor corria assim desmedidamente. Deixou em instantes de ser médico do bairro ou da esquina, como dizia mademoiselle Lespinasse, para ser o médico da capital do país, o lente sábio, o literato ilegível, à João de Barros, o herói do *football*, o obrigado papa-banquetes diários; o Cícero das enfermarias, o mágico dos salões, o poeta dos acrósticos, o dançador dos bailes do tom, etc., etc...

O seu consultório vivia tão cheio que nem a avenida em dia de carnaval; e havia quem dissesse que muitos rapazes o preferiam para as proezas daquelas que os nossos cinematógrafos são o teatro habitual.

Era procurado sobretudo pelas senhoras ricas, remediadas e pobres, e todas elas tinham garbo, orgulho, satisfação e emoção na voz quando diziam:

– Estou me tratando com o doutor Adhil.

Moças pobres sacrificavam os orçamentos domésticos para irem à consulta do doutor Adhil e muitas houve que deixavam de comprar o sapato ou o chapéu da moda para pagar o exame perfunctório do famoso doutor. De uma eu sei que lá foi com enormes sacrifícios para curar-se de um defluxo, e curou-se, embora o doutor Adhil não lhe tivesse receitado um xarope qualquer, mas um específico de nome arrevesado, grego ou copta, *Mutrat Todotata.*

Porque o maravilhoso clínico não gostava das fórmulas e medicamentos vulgares; ele era original na botica que empregava.

O seu consultório ficava em uma rua central, ocupando todo um primeiro andar. As antessalas eram mobiliadas com gosto e tinham pela parede quadros e mapas de coisas da arte de curar.

Havia mesmo, no corredor, algumas gravuras de combate ao alcoolismo, e era de admirar que estivessem no consultório de um médico, cuja glória o obrigava a ser conviva de banquetes diários, bem e fartamente regados.

Para se ter a felicidade de sofrer um exame de minutos do milagroso clínico, era preciso que se adquirisse a entrada, isto é, o cartão, com antecedência, às vezes, de dias. O preço era alto, para evitar que os viciosos do grande clínico não atrapalhassem os que verdadeiramente necessitavam das luzes do célebre clínico...

Custava a consulta cerca de cinquenta mil-réis, na nossa moeda; mas apesar de tão alto preço, o escritório da celebridade médica era objeto de uma verdadeira romaria, e toda cidade o tinha como uma espécie de Aparecida médica.

Cator Krat Ben, sócio principal da firma Suza & Cia, estabelecido com armazém de secos e molhados, lá pelas bandas de um arrabalde afastado da cidade, andava sofrendo de umas dores no estômago que não o deixavam comer com toda liberdade o seu bom cozido, rico de couves e nabos, farto de toucinho e abóbora vermelha, nem mesmo saborear, a seu contento, o caldo que tantas saudades lhe dava de sua aldeia natal.

Consultou mezinheiros, curandeiros, espíritas, médicos locais e não havia meio de lhe passar de todo aquela insuportável dorzinha que não lhe permitia comer, com satisfação e abundância, o cozido e tirava-lhe de qualquer modo o sabor do caldo que tanto amava e apreciava.

Era ir para a mesa, lá lhe aparecia a dor e o cozido com os seus pertences, muito cheiroso, rico de couves, farto de toucinho e abóbora, olhava-o, namorava-o, e ele namorava o cozido sem ânimo de mastigá-lo, de devorá-lo, de engoli-lo com aquele ardor que a sua robustez e o seu desejo exigiam.

Krat Ben Suza era solteiro e quase casto.

Na sua ambição de pequeno comerciante, de humilde aldeão tangido pela vida e pela sociedade para a riqueza e para a fortuna, tinha recalcado todas as satisfações da vida, o amor fecundo ou infecundo, o vestuário, os passeios, a sociabilidade, os divertimentos, para só pensar nos contos de réis que lhe dariam a forra mais tarde, com toda a certeza, do seu quase ascetismo atual, no balcão de uma venda dos subúrbios.

À mesa, porém, ele sacrificava um pouco do seu ideal de opulência e gastava sem pena na carne, nas verduras, nos legumes, no peixe, nas batatas, no bacalhau que, depois do cozido, era o seu prato predileto.

Desta forma, aquela dorzita no estômago o fazia sofrer extraordinariamente. Ele se privava do amor; mas que importava se daqui a anos, ele pagaria para seu gozo, em dinheiro, em joias, em carruagens, em casamento até, corpos macios, veludosos, cuidados, perfumados, os mais caros que houvesse aqui ou na Europa; ele se privava de teatros, de roupas finas, mas que importava, se dentro de alguns anos, ele poderia ir aos primeiros teatros daqui ou da Europa com as mais caras que escolhesse; mas deixar de comer... isto não! Era preciso que o corpo estivesse sempre bem nutrido para aquela faina de catorze ou quinze horas por dia, a servir ao balcão, a ralhar com os caixeiros, a suportar os desaforos dos fregueses e a ter cuidado com os calotes.

Certo dia, ele leu nos jornais a notícia que o doutor Adhil Ben Thaft tinha tido permissão do governo para dar alguns tiros com os grandes canhões do grande couraçado da esquadra do país *Witopá*.

Leu a notícia toda e feriu-lhe o fato de a informação dizer: "Esse maravilhoso clínico é, certamente, um exímio artilheiro..."

Clínico maravilhoso! Com muito esforço de memória, pôde conseguir recordar-se de que aquele nome já por ele fora lido em qualquer parte. Maravilhoso clínico! Quem sabe se ele não curaria daquela dorzita ali no estômago? Meditava assim, quando lhe entra pela venda adentro o senhor Hutekle, empregado na repartição das Arapucas, funcionário público, homem sério e pontual no pagamento.

Krat foi-lhe logo perguntando:

– Senhor Hutekle, o senhor conhece o doutor Adhil Ben Tad?

– Thaft – emendou o outro.

– Isto mesmo. Conhece-o, senhor Hutekle?

– Conheço.

– É bom médico?

– Milagroso. Monta a cavalo, joga xadrez, escreve muito bem, é um excelente orador, grande poeta, músico, pintor, *goal-keeper* dos primeiros...

– Então é um bom médico, não é meu caro senhor?

– É. Foi quem salvou a minha mulher. Custou-me caro... Duas consultas...

– Quanto?

– Cinquenta mil-réis cada uma... Some.

O merceeiro guardou a informação, mas não se resolveu imediatamente a ir consultar o famoso taumaturgo urbano. Cinquenta mil-réis!

E se não ficasse curado com uma única consulta? Mais cinquenta...

Viu na mesa o cozido, olente, fumegante, farto de nabos e couves, rico de toucinho e abóbora vermelha a namorá-lo, e ele a namorar o prato, sem poder gozá-lo com o ardor e a paixão que o seu desejo pedia. Pensou dias e afinal decidiu-se a descer até à cidade, para ouvir a opinião do doutor Adhil Ben Thaft sobre a sua dor no estômago, que lhe aparecia de onde em onde.

Vestiu-se o melhor que pôde, dispôs-se a suportar o suplício das botas, pôs ao colete o relógio, a corrente e o medalhão de ouro com a enorme estrela de brilhante que parece ser o distintivo dos pequenos e grandes negociantes de todas as terras, e encaminhou-se para a estação da estrada de ferro. Ei-lo no centro da cidade.

Adquiriu a entrada, isto é, o cartão, nas mãos do contínuo do consultório, despedindo-se dos seus cinquenta mil-réis com a dor de pai que leva um filho ao cemitério. Ainda se o doutor fosse seu freguês... mas qual! Aqueles não voltariam mais...

Sentou-se entre cavalheiros bem vestidos e damas perfumadas. Evitou encarar os cavalheiros e teve medo das damas... Sentia bem o seu opróbrio, não de ser taverneiro, mas de só possuir de economias duas miseráveis dezenas de contos... Se tivesse algumas centenas – então sim, ele! – ele poderia olhar aquela gente com toda a segurança da fortuna, do dinheiro, que havia de alcançar certamente, dentro de anos, o mais breve possível.

Um a um, iam eles entrando para o interior do consultório; e pouco se demoravam. Suza começou a ficar desconfiado... Diabo! Assim tão depressa?

Boa profissão, a de médico! Ah! Se o pai tivesse sabido disso... mas qual! Pobre pai! Ele mal podia com o peso da mulher e dos filhos, como havia de lhe pagar mestres? Cada um enriquece como pode...

Foi, por fim, à presença do doutor. Krat gostou do homem. Tinha um olhar doce, os cabelos já grisalhos, apesar de sua fisionomia moça, umas mãos alvas, polidas.

Perguntou-lhe o médico com muita macieza de voz:

– Que sente o senhor?

Krat Ben Suza foi-lhe dizendo logo o terrível mal no estômago de que vinha sofrendo há tanto tempo, mal que aparecia e desaparecia, mas que não o deixava nunca. O doutor Adhil Ben Thaft fê-lo tirar o paletó, o colete, auscultou-o bem, examinou-o demoradamente, tanto de pé, como deitado, sentou-se depois, enquanto o negociante recompunha a sua modesta *toilette*.

Suza sentou-se também, e esperou que o médico saísse de sua meditação.

Foi rápida. Dentro de um segundo, o famoso clínico dizia com toda segurança:

– O senhor não tem nada.

O humilde vendeiro ergueu-se de um salto da cadeira e exclamou indignado:

– Então, senhor doutor, eu pago cinquenta mil-réis e não tenho nada! Esta é boa! Noutra não caio eu!

E saiu furioso do consultório que merecia da cidade uma romaria semelhante à da milagrosa Lourdes, no doce país de França.

A ORGANIZAÇÃO DO ENTUSIASMO

A curiosa República de que me venho ocupando é acusada pelos seus filósofos de não ter costumes originais. É um erro de que participam quase todos os seus naturais, erro muito naturalmente explicável, pois mergulhados na sua vida, não possuem pontos de referência para aquilatar da originalidade das usanças especiais de sua terra.

Os estrangeiros, porém, logo as percebem e contam nos seus livros. Li muitos livros de viagem na Bruzundanga; e em nenhum deles vi referências a um costume curioso daquele país, "a manifestação".

Chama-se isto ao ato de fazer ressaltar uma dada personalidade com a aclamação, o vivório de muitos outros. Esta é a grande manifestação; há também as pequenas, que consistem em banquetes, saraus, piqueniques, em honra de um dado sujeito.

Convém fazer observar que tanto uma espécie como a outra visam à publicação de longas notícias nos jornais, de modo a fazer crer ao público que o "manifestado" é mesmo homem de valor, às vezes o é, e merece dos poderes públicos todo o acatamento e toda a proteção. É este o fim oculto da "manifestação", grande ou pequena.

Houve lá um rapaz que, graças aos banquetes que lhe eram oferecidos e cujas notícias saíam em colunas pelos jornais afora, foi de segundo--tenente da Marinha a contra-almirante, em cinco anos, sem nunca ter comandado uma falua.

Um senhor que conheci fez-se uma celebridade em Astronomia, com auxílio dos saraus que lhe eram oferecidos pelos amigos. Ele tinha em casa um óculo de bordo, montado sobre uma tripeça, que, por sua vez, se alcandorava em um mangrulho erguido na sua chácara; lia o Flammarion; e isto tudo com mais uns amigos dedicados a lhe oferecer bailes, por ocasião das suas portentosas descobertas nos céus ignotos, levaram o governo da Bruzundanga a nomeá-lo diretor de um dos observatórios astronômicos da República.

Esses casos são de pequenas homenagens levadas ao cabo por amigos cuja amizade e vinhos generosos são bastantes para incutir-lhes entusiasmo, por ocasião de tais manifestações.

Mas, para as grandes, para aquelas feitas a políticos, a capitalistas, a embaixadores; para aquelas em que se exige multidão, o entusiasmo não era fácil de obter-se assim do pé pra mão, e quando eram realizadas, além desse "defeito" apresentavam alguns outros.

Muitas vezes até os organizadores verificavam que os manifestantes não sabiam bem o nome do grande homem a festejar. Era uma lástima! Uma vergonha!

Acontecia em certas ocasiões que um grupo gritava: – Viva o doutor Clarindo! –, o outro exclamava: – Viva o doutor Carlindo! –, e um terceiro expectorava: – Viva o doutor Arlindo! –, quando o verdadeiro nome do doutor era Gracindo!

Para obviar tais inconvenientes, houve alguém que teve a ideia de "canalizar", de "disciplinar" o entusiasmo do povo bruzundanguense, entusiasmo tão necessário às manifestações que lá há constantemente, e tão indispensáveis são ao fabrico de grandes homens que dirijam os destinos da grande e formosa República dos Estados Unidos da Bruzundanga.

Esse alguém, esse homem de gênio, cujo nome infelizmente me escapa agora, delineou "A Guarda do Entusiasmo".

Os fins a que a organização de semelhante corpo manifestante devia obedecer, foram expostos pelo seu criador, mais ou menos, nas seguintes palavras que, se não são transcritas do seu manifesto, podem ser tomadas como verdadeiras, pois me gabo de ter muito boa memória.

Ei-las:

"As sucessivas e continuadas festas que Bosomsy, capital da Bruzundanga, tem dado a vários personagens nacionais e estrangeiros, nestes últimos tempos, sugerem a ideia de se organizar um corpo de dez mil homens, convenientemente fardados, armados e disciplinados, encarregados das aclamações, dos vivórios e todas as outras coisas que os jornais englobam sob o título "Uma Entusiástica Recepção".

É conveniente que esse corpo tenha uma organização adequada e fique sujeito à suprema direção de um dos nossos ministérios, por intermédio de uma Diretoria-Geral de Manifestações e Festejos, que deve ser criada oportunamente.

O nosso catita Ministério de Estrangeiros está naturalmente indicado para superintender os destinos superiores dessa "Guarda do Entusiasmo" e da diretoria, que fará parte naturalmente da respectiva Secretaria de Estado.

O aproveitamento da energia entusiástica desses dez mil homens obter-se-á com uma disciplina inteligente e uma hierarquia conveniente.

Cada soldado, pelo menos, deverá dar dois "vivas" por minuto; os sargentos e demais inferiores, nos intervalos dos "vivas", baterão palmas, muitas palmas, seguidas e nervosas; os oficiais serão encarregados de soltar foguetes e traques; o general fará, por intermédio do corneta, os sinais da ordenança, de modo a graduar, a marcar a aclamação delirante.

Ter-se-á assim a canalização, a organização do entusiasmo, e a população de Bosomsy, mediante um pequeno imposto, ficará desembaraçada do ônus manifestante.

O fardamento não custará lá grande coisa. Roupas usadas, velhos chapéus de funcionários sobrecarregados de família, botas acalcanhadas de empregados de advogados emprestarão aos soldados o aspecto mais popular possível. Os oficiais vestirão a sobrecasaca de sarja das grandes ocasiões; o general e o seu estado-maior virão em carro descoberto.

A "Guarda do Entusiasmo" não formará, por completo, para toda e qualquer homenagem.

Um embaixador belíssimo terá direito à metade; um chefe de Estado feio, a toda ela.

O governo, como atualmente procede com as bandas de música militares, poderá alugar frações da "Guarda", ou mesmo ela completa, a particulares que pretendam realizar manifestações honestas e republicanas; e, com isto, obterá uma segura fonte de renda para o erário nacional.

Tudo indica que nela haja algumas centenas de praças e uma ou duas dúzias de oficiais conhecedores do entusiasmo inglês, francês, chinês e abexim para as manifestações a grandes personagens abexins, chineses, franceses e ingleses.

Toda a corporação congênere deve ser proibida pelo governo, e na "Guarda" é bom que o comandante admita algumas dezenas de homens robustos capazes de puxar carros de heróis ambulantes ou atrizes fascinadoras. Às vezes, temos visto o entusiasmo exigir esse glorioso serviço...

Se no mercado comum de homens robustos não se encontrarem músculos capazes para tão nobre atividade, é bom que sejam contratados alguns lutadores de luta romana, mesmo porque, procurando dar às manifestações um cunho de novidade, pode haver quem proponha levantar-se a carruagem dos "manifestados" de sobre o vulgar chão de asfalto."

Estas palavras vinham eivadas de tanta lógica que logo convenceram os governantes da Bruzundanga da verdade e da necessidade que encerravam; e não demorou um mês para que a "Guarda" fosse organizada, apesar de se terem apresentado como candidatos a lugares dela quase todos os habitantes de Bosomsy.

ENSINO PRÁTICO

Notando os grandes estadistas da Bruzundanga que o comércio do país estava nas mãos de estrangeiros, resolveram com todo o patriotismo retirar o monopólio da mercancia, quer por atacado quer a varejo, das mãos de estranhos ao país.

Os economistas tinham mesmo verificado que a exportação de dinheiro que os grandes e pequenos negociantes faziam para os seus países de origem sobrepujava à do café; e, longe do comércio da nação enriquecê-la, empobrecia-a mais até do que a da venda aos estrangeiros da famosa rubiácea que constituía a sua riqueza.

Foi então que para sanar tão lastimável estado de coisas, para nacionalizar o comércio, alguns homens de boa vontade tomaram a iniciativa de fundar, em Bosomsy, um alto estabelecimento de instrução comercial, nos moldes alemães e americanos, isto é, inteiramente prático. Vou em rápidas palavras dizer-lhes como eles o projetaram, e para tal nada mais farei do que transcrever para aqui as partes essenciais do programa que estavam distribuindo quando saí da grande República e as conversas que com eles tive.

Era intuito dos fundadores da Academia Comercial banir do seu ensino todo o pedantismo, todo o luxo teórico; fazê-lo prático, moderno, à *yankee*. De tal modo o queriam assim que, ao fim de um curso de pequena duração, o aluno pudesse, sem dificuldades e hesitações, colocar-se à testa de uma loja e geri-la com o desembaraço e a segurança de velho negociante com vinte anos de prática.

Além de negociantes propriamente, a academia visava sobretudo a formar magníficos caixeiros, magnéticos, com virtudes de ímã, capazes de solicitar, de empolgar, de atrair a freguesia.

Para a boa compreensão dos leitores que mal conhecem certamente os usos daquele país e os aspectos da sua capital, os exemplos locais de hábitos de comércio, que me foram fornecidos pelos fundadores da academia, serão por mim dados aqui com similares cariocas. Continuemos.

Os cursos da Academia Comercial da Bruzundanga não ficarão instalados em um enorme edifício, grandioso e inútil para os fins a que se destina, e sobremodo favorável à criação de um espírito de escola, de camaradagem, indigno da luta comercial. As aulas funcionarão em pequenas casas, situadas nas regiões da capital em que atualmente mais florescem os gêneros de comércio que os alunos pretenderem aprender.

Conversando com um dos iniciadores, tive ocasião de receber a confidência da metodologia própria ao estabelecimento. Lembro ainda que os exemplos são transferidos das coisas de lá para as daqui.

Assim, em uma espécie de Rua da Alfândega de Bosomsy, entre as equivalentes de lá às nossas do Núncio e São Jorge, será estabelecido o curso de venda ambulante de fósforos.

A aula ficará a cargo de um velho "turco" afeito ao negócio, cujas calças curtas, denticuladas nas extremidades, beijam a fugir os canos das botinas muito grandes e deixam ver, de quando em quando, dois bons pedaços de suas canelas felpudas.

Possuidor de voz roufenha e lenta, mas penetrante e persuasiva, toda a manhã o venerável catedrático, no centro de jovens discípulos, marcando o ritmo com uma varinha auxiliar, os fará repetir uma, duas, mil vezes:

– "Fofo barato! fofo barato! duas caixas um tostão!"

Este curso durará seis meses, dando direito a um atestado de frequência.

A aula de jornalismo, venda ambulante das gazetas, ia ser instalada em frente do popularíssimo cotidiano de lá, *Bosomsy-Gazetto*; e tencionavam os fundadores da academia realizá-lo de madrugada, admitindo um número restrito de alunos, sendo-lhe exigida a apresentação de atestados valiosos de que sabiam tomar bondes em movimento.

Os cocheiros de bondes, que ainda eram de tração animal, os respectivos recebedores e os baleiros eram pessoas idôneas para passar o atestado.

A aula de "frege", cuja sede seria uma espécie de Largo da Sé de lá, ficará dividida em duas partes: cantata da lista e encomenda de pratos à cozinha.

Os discípulos serão obrigados a repetir em coro e na toada de uso todo um pantagruélico e imaginário *menu:* seca desfiada, caldo à portuguesa, arroz com repolho, feijoada Camões, tripas à portuense, bifes à Itália, etc., etc...

O lente, um exemplar de homem assim como um gordo proprietário de casa de pasto da Rua da Misericórdia, sentado a uma mesinha, coberta com uma toalha eloquentemente imunda, dirá subitamente a um dos alunos:

– Traga-me um arroz e um bacalhau, seu Manuel.

O discípulo correrá até ao fundo da sala e, com a voz clássica do ofício, gritará para a fantástica cozinha:

– Salta um "chim" e um bacalhau.

O tirocínio acadêmico durará um ano, conferindo o título de bacharel em lista cantada e dando direito ao uso de um anel simbólico.

Afora estes, haverá o curso de barbeiro, de botequim, de compra de ferro-velho e outros. O mais difícil, porém, há de ser o de armarinho, cujas aulas funcionarão em uma rua principal da cidade, em uma rua como a nossa do Ouvidor, e terão lugar em grandes salas, guarnecidas de assentos em anfiteatro, como nas grandes escolas superiores.

Alguma dama facilmente adaptável figurará como freguesa atendida pelo professor, que perpetrará os lânguidos olhares de uso nesse tráfico, ajudando-a na escolha das fazendas, cortando o padrão com elegância e dizendo as frases amáveis, espirituosas e adequadas a tão alto comércio: em si, toda a fazenda vai bem; quem quer cassa, caça, etc., etc.

Durará dois anos este curso e conferirá ao aluno que o terminar o grau de doutor em artigos de armarinho e boas maneiras.

Semanalmente, haverá duas aulas gerais, cuja frequência será obrigatória aos alunos de todas as aulas; a de dança e a de coisas de carnaval.

Eis aí como, em linhas gerais, iria ser, conforme me disseram, a Academia Comercial da Bruzundanga.

A RELIGIÃO

Segundo afirmam os compêndios de geografia do país, tanto os nacionais como os estrangeiros, a religião dominante é a católica apostólica romana; entretanto, é de admirar que, sendo assim, a sua população, atualmente já considerável, não seja capaz de fornecer os sacerdotes, quer regulares, quer seculares, exigidos pelas necessidades do seu culto.

Há muitas igrejas e muitos conventos de frades e monjas que, em geral, são estrangeiros.

Não há mais que dizer sobre tão relevante assunto.

Q. E. D.

Animado pela alta e dignificadora curiosidade de estudar o mecanismo administrativo da República da Bruzundanga, voltei, em certa ocasião, as minhas vistas para o exame das funções de secretário de ministro, cujas responsabilidades sempre me disseram ser grandes e que, de longe, parece ser de importância transcendente. Dou aqui o resultado parcial dos meus estudos, observando-lhe o serviço sobre-humano, e por demais intelectual, nas passagens mais características do exercício do seu cargo.

O secretário, como verão, é um funcionário indispensável ao complexo funcionamento do aparelho governamental da Bruzundanga. Imaginem só o seguinte caso que prova a contento do mais exigente o que afirmo.

Um dia, ao gabinete de um tal ministro da Bruzundanga, foi ter um industrial, pedindo-lhe que fosse visitar a sua fábrica que estava inaugurando uma nova indústria no país.

Ficava longe, cinco léguas de Bosomsy; e, para se ir ter lá, era preciso tomar a barca muito cedo, muito mesmo, às seis horas, ou antes, da manhã.

O ministro tinha já concordado em ir, quando, da sua mesa respeitosamente pequena, o secretário ergueu-se e lembrou:

– Vossa Excelência não pode apanhar o orvalho da manhã.

– Homem, é verdade! – fez o ministro.

Se não fosse a memória pronta do secretário e a sua dedicação à causa pública, quantas ocorrências graves não iriam perturbar a marcha das coisas governamentais, se o ministro, com a imprudência que ia fazer, apanhasse um resfriado qualquer? Quantas? Um defluxo, papéis atrasados, terremotos, pestes, inundações, etc.

Graças a Deus, porém, a gente da Bruzundanga inventou o ofício de secretário de ministro, que é capaz, a tempo, de evitar tantas desgraças...

Continuemos a demonstração. Creio que as aranhas, tanto as daqui como as da Bruzundanga, não têm em grande conta o cargo de ministro de Estado. É de lastimar que insetos de tanto talento desconheçam a importância de tão sublimado bímano; entretanto, não está nos poderes humanos obrigá-las a respeitar o que respeitamos, senão devíamos fazê-lo, para que tais aracnídeos não procedessem como um deles procedeu irreverentemente com um ministro da Bruzundanga.

Caso foi que uma aranha comum, totalmente despida de qualquer notoriedade entre as aranhas, completamente sem destaque entre as suas iguais, teve o desaforo de pôr-se a tecer a sua teia no próprio teto do gabinete de um ministro da Bruzundanga e bem por cima de sua majestosa cadeira.

Houve, quando o trabalho ia adiantado, não sei que espécie de cataclismo, próprio ao universo das aranhas; e, tão forte foi ele, que um bom pedaço de labor do engenhoso articulado veio a cair em cima da sobrecasaca da poderosa autoridade da República da Bruzundanga.

Apesar do seu imenso poder e da sua forte visão de seguro guia de povos, o grave ministro não deu conta do desrespeito, involuntário, é verdade, mas desrespeito, de que acabava de ser objeto, por parte de uma miserável aranha, hedionda e minúscula.

Mas, não dando pelo fato, tratou de tomar o *coupé* para ir ao despacho coletivo, levando tão estranha condecoração nas costas, quando o secretário, chapéu na mão, todo mesuroso, pedindo licença, tirou a prova da indignidade do bichinho das vestes do seu amo. E ele já entrava no carro!...

Suponhamos que tal não se tivesse dado, isto é, que o ministro entrasse para o alto sínodo cuja presidência competia ao mandachuva, com aquele evidente atestado de relaxamento.

Que pensaria o supremo da Bruzundanga? Naturalmente, penso eu, que os negócios da pasta que lhe havia confiado mereciam-lhe o mesmo cuidado que a sua sobrecasaca.

Ah! Os secretários de ministro! Como são úteis!

Além desses préstimos tão relevantes de que eles não se poupam, ainda por cima são às vezes mártires. Duvidam? Pois vou provar-lhes como é verdade.

O deputado Fur-hi-Bhundo tinha um pedido a outro ministro da Bruzundanga. Este por qualquer motivo não lhe pôde servir e atendeu a outro "pistolão". Sabedor da coisa, Fur-hi-Bhundo voou que nem uma flecha para a respectiva Secretaria de Estado.

Arrebatadamente entra pelo gabinete ministerial adentro e, dando com o secretário, pois o ministro não estava, desanda no dedicado serventuário uma feroz descompostura em que o chama de lacaio, de capacho, de toma-larguras, de lavador de tinteiros, etc., etc.

Entretanto, o secretário não merecia tão feroz objurgatória, pois, em geral, esses abnegados serventuários da Bruzundanga são pessoas ternas, meigas, de bom coração, especialmente com os filhos dos ministros.

Em dias de festas, das festas familiares dos ministros, é de ver como tratam os pimpolhos ministeriais; é de ver como suportam resignadamente o peso de um nas costas, o de um outro nos joelhos, além do incômodo de um terceiro que lhe passou um barbante na boca e simula guiá-lo como cavalo de tílburi.

Não vão para a copa; mas, coitados!, aturam coisas muito piores.

Disse, no começo desta "nota", que o secretário de ministro era indispensável ao complexo funcionamento do aparelho governamental da Bruzundanga.

Pelos fatos que expus, estou certo de que provei esta asserção; e posso concluir com orgulho, com aquele orgulho de um jovem estudante quando acaba de demonstrar com segurança um teorema de Geometria e dizer, como ele ou como o velho compêndio de Euclides, que demonstrei o que era preciso demonstrar, *quod erat demonstrandum*, Q. E. D., como abreviam os compêndios.

UMA PROVÍNCIA

As províncias da República da Bruzundanga, que são dezoito ou vinte, gozam, de acordo com a Carta Constitucional daquele país, da mais ampla autonomia, até ao ponto de serem, sob certos aspectos, quase como países independentes.

Seria enfastiar o leitor querer dar detalhes das prerrogativas que usufruem as províncias. Com isto, faria obra de estudioso de coisas legislativas e não de viajante curioso que quer transmitir aos seus concidadãos detalhes de costumes que mais o feriram em terras estranhas. Faço trabalho de *touriste* superficial e não de erudito que não sou.

Das províncias da Bruzundanga, aquela que é tida por modelar, por exemplar, é a província do Kaphet. Não há viajante que lá aporte, a quem logo não digam: vá ver Kaphet, aquilo sim! Aquilo é a joia da Bruzundanga.

A mim, é bem de ver-se, os magnatas de lá não me fizeram semelhante convite; mas à tal província fui por minha própria iniciativa e sem os tropeços de cicerones oficiais que me impedissem de ver e examinar tudo com a máxima liberdade.

Pela leitura, sabia que a gente rica da província se tem na conta de aristocratas, de nobres, e organizam a sua genealogia de modo que as suas casas tomem origem em certos antropófagos, como eram os primitivos habitantes da província, dos quais todos eles querem descender. Singular nobreza!

Sempre achei curioso que a presunção pudesse levar a tanto, mas, em lá chegando, observei que podia levar mais longe. O traço característico da população da província do Kaphet, da República da Bruzundanga, é a vaidade. Eles são os mais ricos do país; eles são os mais belos; eles são os mais inteligentes; eles são os mais bravos; eles têm as melhores instituições, etc., etc.

E isto de tal forma está apegado ao espírito daquela gente toda, que não há modesto mestre-escola que não se julgue um Diderot ou um Aristóteles, e mais do que isso, pois, deixando de parte a teoria, julgam-se também capazes de exercer qualquer profissão deste mundo; e, se se fala em ser oficial de marinha, eles se dizem capazes de sê-lo do pé pra mão, e assim de artilharia, de cavalaria. Imaginam-se prontos para serem astrônomos, pintores, químicos, domadores de feras, pescadores de pérolas, remadores de canoas, niveladores, o diabo!

Tudo isto porque a província faz questão de que conste nos panegíricos dela que o seu ensino é uma maravilha; as suas escolas normais, coisa nunca vista; e os seus professores sem segundos no mundo.

Domina nos grandes jornais e revistas elegantes da província a opinião de que a arte, sobretudo a de escrever, só se deve ocupar com a gente rica e *chic;* que os humildes, os médios, os desgraçados, os feios, os infelizes não merecem atenção do artista e tratar deles degrada a arte. De algum modo, tais estetas obedecem àquela regra da poética clássica, quando exigia, para personagens da tragédia, a condição de pessoas reais e principais.

Mas como eles não têm dessa gente lá; não têm nem Orestes, nem Ajax, nem Ismênia, nem Antígone, os Sófocles da província se contentam com algumas gordas fazendeiras ricas e saltitantes filhas de abastados negociantes ou com uns bacharéis enfadonhos, quando não tratam de solertes atravessadores de café.

Um dos traços mais evidentes da vaidade deles não está só no que acabo de contar. Há manifestações mais ingênuas.

Quando lá estive, deu-me vontade de ir ver a pinacoteca e a gliptoteca locais. Já havia visto as da capital da Bruzundanga. Eram modestas, possuindo um ou outro quadro ou mármore de autor de grande celebridade. Eram modestas, mas probas e honestas.

Tinham-me dito coisas portentosas da galeria de quadros e estátuas da capital da província do Kaphet. Fui até lá, como quem fosse para a de Munique ou para o Louvre. Adquiri um catálogo e logo topei com esta indicação: "La Gioconda", quadro de Leonardo da Vinci.

Fiquei admirado, assombrado com aquelas palavras do catálogo. Teria a França vendido a célebre criação do mestre florentino? Poderia tanto o dinheiro do café? Corri à sala indicada e dei sabem com quê? Com a reprodução fotográfica do célebre retrato a óleo de Mona Lisa del Gioconda, uma reprodução da Casa Braün!

Não quis ir adiante para ver a "Ronda Noturna", de Rembrandt, um Corot, um Watteau, nem tampouco na seção de escultura, a "Vitória de Samotrácia" e a "La Pietá", de Miguel Ângelo.

Eles, os da província, falam muito em arte, na cultura artística daquele rincão da Bruzundanga; mas o certo é que não lhe vi nenhuma manifestação palpável. Vão ter uma prova.

Durante os dias em que lá estive apuravam-se as provas do concurso aberto para a escolha das armas da capital. Vi os desenhos. Que coisas hediondas! Quanta insuficiência artística! Não havia talvez dois desenhos, já não direi de acordo com as regras da heráldica, mas do gosto. Eram verdadeiros rótulos de cerveja marca "barbante".

Não falo de música, porque pouco observei sobre tal arte; mas no que toca à arquitetura, posso dizer, com convicção, que lá não há um arquiteto de talento. Devia citar-lhes o nome aqui; mas, ao se tratar de tal gente, podia parecer que queria arranjar dinheiro. Não preciso.

Outra pretensão curiosa da gente daquela província da Bruzundanga é afirmar que a sua casquilha capital é uma cidade europeia. Há tantos tipos de cidades europeias que tenho vontade de perguntar se ela é do tipo Atenas, do tipo Veneza, do tipo Carcassone, do tipo Madrid, do tipo Florença, do tipo Estocolmo, de que tipo será afinal? Certamente do de Paris. Ainda bem que ela não quer ser ela mesma.

O mal da província não está só nessas pequenas vaidades inofensivas; o seu pior mal provém de um exagerado culto ao dinheiro. Quem não tem dinheiro nada vale, nada pode fazer, a nada pode aspirar com independência. Não há metabolia de classes. A inteligência pobre que se quer fazer, tem que se curvar aos ricos e cifrar a sua atividade mental em produções incolores, sem significação, sem sinceridade, para não ofender os seus protetores. A brutalidade do dinheiro asfixia e embrutece as inteligências.

Não há lá independência de espírito, liberdade de pensamento.

A polícia, sob este ou aquele disfarce, abafa a menor tentativa de crítica aos dominantes. Espanca, encarcera, deporta sem lei hábil, atemorizando todos e impedindo que surjam espíritos autônomos. É o arbítrio; é a velha Rússia.

E isso a polícia faz para que a província continue a ser uma espécie de república de Veneza, com a sua nobreza de traficantes a dominá-la, mas sem sentimento das altas coisas de espírito. Ninguém pode contrariar as cinco ou seis famílias que governam a província, em cujo proveito, de quando em quando, se fazem umas curiosas valorizações dos seus produtos. Ai daquele que o fizer!

A mentalidade desses oligarcas é tal que não trepidaram em fazer votar uma lei colonial, uma verdadeira disposição de Carta Régia, para, diziam eles, aumentar o preço da "medida", cerca de quinze quilos, do café. O seu aparelho governativo decretou, em certa ocasião, a proibição do plantio de mais um pé de café que fosse, da data daquela lei em diante. A lei, ao que parece, caiu em desuso. Não era de esperar outra coisa...

Havia muito ainda a dizer a respeito; mas bastam estes traços para os brasileiros julgarem o que é uma província modelo na República dos Estados Unidos da Bruzundanga.

PANCOME, AS SUAS IDEIAS E O AMANUENSE

Este caso do amanuense e alguns outros que aqui vão ser contados na maioria aconteceram na alta administração da Bruzundanga, quando foi ministro de Estrangeiros o visconde de Pancome.

Mas, dentre todos os seus atos, aquele que fez propriamente escola foi a nomeação de um amanuense para a sua secretaria; e os demais, quer quando foi ministro, quer antes, se entrelaçam tanto com a célebre nomeação, esclarecem de tal modo o seu espírito de governo e a sua capacidade de estadista, que tendo de narrar aquele provimento de um modesto cargo, me vejo obrigado a relatar muitos outros casos de natureza quiçá diversa. Entro na matéria.

Andava o poderoso secretário de Estado atrapalhado para preencher um simples cargo de amanuense que havia vagado na sua secretaria.

Em lei, o caminho estava estabelecido: abria-se concurso e nomeava-se um dos habilitados; mas Pancome nada tinha que ver com as leis, embora fosse ministro e, como tal, encarregado de aplicá-las bem fielmente e respeitá-las cegamente.

A sua vaidade e certas quizílias faziam-no desobedecer a elas a todo o instante. Ninguém lhe tomava conta por isso, e ele fazia do seu ministério coisa própria e sua.

Nomeava, demitia, gastava as verbas como entendia, espalhando dinheiro por todos os toma-larguras que lhe caíam em graça, ou lhe escreviam panegíricos hiperbólicos.

Uma das suas quizílias era com os feios e, sobretudo, com os bruzundanguenses de origem javanesa, coisa que equivale aqui aos nossos mulatos.

Constituíam o seu pesadelo, o seu desgosto e não julgava os indivíduos dessas duas espécies apresentáveis aos estrangeiros, constituindo eles a vergonha da Bruzundanga, no seu secreto entender.

Esta preocupação, nele, chegava às raias da obsessão, pois o seu espírito de herói da Bruzundanga não se orientava, no que toca à sua atividade governamental, pelos aspectos sociais e tradicionais do país, não se preocupava em descobrir o seu destino na civilização por este ou aquele tênue indício a fim de, com mais proveito, auxiliar a marcha de sua pátria pelos anos afora. Ao contrário: secretamente revoltava-se contra o determinismo de sua história, condicionado pela sua situação geográfica, pelo seu povoamento, pelos seus climas, pelos seus rios, pelos seus acidentes físicos, pela constituição do seu solo, etc.; e desejava muito infantilmente fabricar, no palácio do seu ministério, uma Bruzundanga peralvilha e casquilha, gênero *boulevard,* sem os javaneses, que incomodavam tanto os estrangeiros e provocavam os remoques dos caricaturistas da República das Planícies, limítrofe, e tida como rival da Bruzundanga.

Enfim, ele não era ministro para felicitar os seus concidadãos, para corrigir-lhes os defeitos em medidas adequadas para acentuar as suas qualidades, para aperfeiçoá-las, para encaminhar melhor a evolução do país, acelerando-a como pudesse; o visconde era ministro para evitar aos estranhos, aos *touristes,* contratempos e maus encontros com javaneses.

Ele chegou até a preparar uma guerra criminosa para ver se dava cabo destes últimos...

Mas como ia dizendo, Pancome, no seu ministério, fazia tudo o que entendia; mas, mesmo assim, não se atrevia a romper abertamente com aquela história de concursos, com os quais desde muito andava escarmentado, devido à razão que lhes hei de contar mais tarde.

Era, afinal, uma pequena hesitação no espírito de um homem que tinha tido até ali tão audazes atrevimentos para desrespeitar todas as leis, todos os regulamentos e todas as praxes administrativas.

É bastante dizer que, não contente em residir no próprio edifício do ministério sem autorização legal, Pancome não trepidou em estabelecer na chácara do mesmo um redondel de touradas, um campo de *football*, um café-concerto, para obsequiar respectivamente os diplomatas espanhóis, ingleses e suecos.

Como já tive ocasião de dizer, tal ministro só trabalhava para impressionar os estrangeiros, e, apesar de não ter feito obra alguma de alcance social para a Bruzundanga, o povo o adorava porque o julgava admirado pelos países estranhos e seus sábios.

Se alguém se lembrava de censurar esse seu desavergonhado modo de governar, logo os jornalistas habituados a canonizações simoníacas e parlamentares que gostavam do *pot-de-vin*, gritavam: que tipo mesquinho! Criticar esse patrimônio nacional que é o visconde de Pancome, por causa de ninharias! Ingrato!

Diante dessa desculpa de patrimônio nacional, toda a gente se calava, e o país ia engolindo as afrontas que o seu ministro fazia às suas leis e aos seus regulamentos.

De onde, hão de perguntar, lhe tinha vindo tal prestígio? É fácil de explicar.

Ele veio, no fim, da tal história das condecorações que já lhes contei, fato que encheu de júbilo todo o povo daquela pátria, porque a República das Planícies que Pancome trabalhava para sempre andar às turras com a Bruzundanga, não as tinha obtido, apesar de disputá-las. Antes disso, porém, ele já tinha um ascendente bem forte, devido a uma grande proeza. Pancome tinha subido ao cume do Tiaya, o modesto Himalaia da corografia da República da Bruzundanga, dois mil e novecentos a três mil metros de altitude. Vou-lhes contar como a coisa foi.

Um dia, estando Pancome nas proximidades dessa montanha, anunciou a todos os quadrantes que ia escalá-la.

Os bruzundanguenses do lugar sorriram diante do projeto daquele homem gordo e pesado. Aquilo, o monte, diziam, era muito alto, e ele não teria fôlego para chegar ao cume; havia fatalmente de rolar pelas encostas abaixo, antes de atingir o meio da jornada.

O visconde, porém, não se temorizou, subiu, e dizem que foi ao pico da montanha.

À vista de semelhante proeza, os naturais do país, logo que a nova se espalhou, exultaram, pois andavam de há muito necessitados de um herói. Não contentes de a notícia da façanha ter corrido toda a nação, telegrafaram para as cinco partes do mundo exaltando a ousadia ainda mais.

É verdade que, antes de Pancome, muitos outros, entre os quais o Kaetano Phulgêncio, um roceiro do local, tinham subido o Tiaya várias vezes em aventuras de caça, e até esse Phulgêncio serviu-lhe de guia; mas isto não foi lembrado, e Pancome passou por ser o primeiro a fazê-lo.

De tal proeza e das consequências que dela advieram, nasceu a fama do visconde, a sua consideração de herói nacional, tanto mais que os clubes alpinos da Europa tomaram nota do ilustre feito e, graças à diplomacia da Bruzundanga, o retrato e a biografia do portentoso varão foram estampados nas revistas especiais de *sport*. Durante um mês, os jornais da capital do interessante país que ora nos ocupa não deixaram um só dia de publicar telegramas do seguinte teor ou parecidos: "*La Vie au Grand Air*, importante revista francesa, publica o retrato do visconde de Pancome, o destemido herói do Tiaya, e os seus traços biográficos."

Um outro cotidiano dizia: "*Army, Navy and Sport*, célebre *magazine* inglês, estampando o retrato do visconde de Pancome, essa legítima glória do nosso país, afirma que a sua ascensão ao cume do Tiaya é sem precedentes na história do alpinismo"; e assim transcreviam ou noticiavam referências de outras revistas alemãs, italianas, sírias, gregas, tcheques, etc.

Recebendo esse impulso do estrangeiro, os jornais da Bruzundanga, os mais lidos e os mais obscuros, e as revistas de toda a natureza redobraram a sua habitual gritaria em casos tais. Enchiam-se de artigos louvando o herói que fizera a Bruzundanga conhecida na Europa, afirmação essa em que logo o povo do país acreditou piamente; mostraram também com períodos bem caídos, como o fato tinha um alcance excepcional e proclamaram o homem o primeiro de todos os bruzundanguenses.

A seguir-se aos jornais, vieram os poetas louvaminheiros com as suas odes, poemas, sonetos, cantatas, erguendo às nuvens o visconde e a sua extraordinária proeza. Eles sacavam com atilamento sobre o futuro, porquanto, quando Pancome veio a ser ministro, encheu-os de propinas e fartos jantares.

É ocasião de notar aqui uma singular feição dos poetas da Bruzundanga.

Todos os vates de lá, em geral, são incapazes de comparação, de crítica e impróprios para a menor reflexão mais detida, e, com a sua mentalidade de *parvenus* aperuados, estão sempre dispostos a bajular os titulares ou os apatacados burgueses, para terem o prazer de ver mais perto as suas mulheres e filhas, pois se persuadiram que são elas feitas de outra substância, diferente daquela que forma as cozinheiras e os pequenos burgueses.

Tão tolos são eles que não se lembram de que tais marqueses e mais barões da sua terra são de origem tão humilde e tão vexatória em face do critério nobiliárquico que os próprios portadores de tais títulos fidalgos ocultam o mais que podem a sua ascendência. Mas é preciso voltar ao nosso visconde de Pancome.

À custa de todas essas vociferações, o povo não permitia que ninguém lhe tocasse na reputação e ficou convencido de que o homem era mesmo um demiurgo e consubstanciou a sua admiração ingênua nesta fórmula simples: "é um bruzundanguense conhecido na Europa".

Porque a mania daquele povo é querer à força que o seu país e os seus homens sejam conhecidos no estrangeiro, embora ele não possua uma atividade, de qualquer natureza, nem mesmo seja um homem notável que possa atrair a curiosidade dos estranhos sobre a região e as suas coisas.

De modo que, qualquer referência a ele ou a um natural dele, se ela é favorável e elogiosa, logo alvorota o povo da Bruzundanga, que fica crente de que em todas as aldeias de países afastados não se fala em outra coisa senão na sua nação.

Quando, porém, se diz lá fora que na sua população há milhões de javaneses e mestiços deles, o que é verdade, imediatamente todos se aborrecem, zangam-se, lançando tristemente o labéu de vergonha sobre os seus compatriotas de tal extração.

É uma tolice deles, aí entram também muitos javaneses, pois tanto os de origem javanesa como os de outras raízes raciais têm dado inteligências e atividades que se equivalem. Não há este de tal procedência que sobrepuje aquele de outra procedência, nem mesmo na quantidade; os de uma origem não sobrelevam os de outra, isto dura há três séculos e poucos; e pode-se dizer que é uma prova perfeitamente experimental, obtida no laboratório da história. Tão bom como tão bom...

Com tal mania, não é de admirar que, de uma hora para outra, Pancome ficasse sendo o ídolo da Bruzundanga; e o governo, para premiá-lo e satisfazer a opinião pública, apressou-se em nomeá-lo embaixador junto ao governo de uma potência europeia, e foi, lembro-me agora, quando embaixador, que obteve as condecorações a que aludi em capítulo anterior.

E de tal forma a população do país se convenceu da imensa inteligência, das geniais vistas do visconde, de que era admirado no mundo inteiro, e de que, também todos os sábios do Universo respeitavam-no religiosamente que, ao chegar ele da estranja para assumir a pasta do Exterior, toda ela correu em massa para a rua, quase lhe desatrelam, os mais entusiastas, os cavalos do carro, aclamando-o freneticamente pelas ruas em que passou, como se recebesse a cidade Júlio César vitorioso ou Descartes, caso a natureza da glória deste se compadecesse com admirações irrefletidas.

Além daquelas medidas que citei em um dos capítulos passados, logo no início do seu ministério, tomou o visconde estas primordiais: usar papel de linho nos ofícios, estabelecer uma cozinha na sua secretaria e baixar uma portaria, determinando que os seus funcionários engraxassem as botas todos os dias. Na cozinha, porém, é que estava o principal das suas reformas, pois era o seu fraco a mesa farta, atulhada.

Em seguida, convenceu o mandachuva que o país devia ser conhecido na Europa por meio de uma imensa comissão de propaganda e de anúncios nos jornais, cartazes nas ruas, berreiros de *camelots*, letreiros luminosos, nas esquinas e em outros lugares públicos.

A sua vontade foi feita; e a curiosa nação, em Paris foi muitas vezes apregoada nos *boulevards* como o último específico de farmácia ou como uma marca de automóveis. Contam-se até engraçadas anedotas.

Nos anúncios luminosos, então, a sua imaginação foi fértil. Houve um que ficou célebre e assim rezava: "Bruzundanga, país rico. Café, cacau e borracha. Não há pretos."

Não ficou aí. Mostrou a necessidade de uma esquadra poderosa, e o mandachuva encomendou uma custosíssima, para o serviço da qual o país não tinha marinheiros dignos, arsenais, e que pôs de alcateia a República das Planícies.

Tudo isto e mais a transformação da capital, da noite para o dia, fato a que já aludi, endividaram sobremodo o país e, com a vinda de um inepto mandachuva, para cuja ascensão ele muito concorreu, a Bruzundanga veio a ficar na miséria.

Por essas e outras, foi Pancome proclamado o maior estadista da nação, embora a situação interna, durante o seu longo ministério (quase dez anos), piorasse sempre e cada vez mais, sem que ele apresentasse ou lembrasse medidas para remediar um tal estado de descalabro.

Tirassem-no das coisas fantasmagóricas e berrantes que feriam a vaidade pueril do povo, fazendo este supor que a Bruzundanga era respeitada na Europa; tirassem-no daí que ninguém era capaz de sacar-lhe da cachola uma ideia de governo, um alvitre de verdadeiro estadista.

Basta dizer, para se avaliar a triste situação interna da extravagante nação de que lhes dou notícias, que nos arredores da capital se morria à míngua, à fome, as terras estavam abandonadas e invadidas pelas depredadoras saúvas, a população roceira não tinha direitos nem justiça e vivia à mercê de cúpidos e ferozes senhores de latifúndios, cuja sabedoria agronômica era igual à dos seus capatazes ou feitores.

Mas o povo, graças aos poetas e jornalistas simoníacos, não queria capacitar-se de que Pancôme era simplesmente decorativo e continuou a admirá-lo como um semideus.

E ele fazia o que queria, e se agora estava atrapalhado com a nomeação de um amanuense, não era porque fosse do seu natural respeitar as leis.

Há um pequeno e passageiro temor da natureza daquele que sentem os heróis quando vão entrar em combate.

Já nomeara pouco mais de meia dúzia por meio de concurso, mas não estava satisfeito com essas nomeações.

É verdade que os que nomeara trajavam regularmente, engraxavam as botas e não tinham nunca o colarinho sujo. Eram já grandes qualidades, porque de tal forma viera a encontrar o pessoal da secretaria, esbodegado, relaxado, vestindo roupas baratas, morando nos subúrbios, que foi necessária toda sua energia para que ele modificasse tão maus hábitos.

As verbas do ministério pagaram a quase todos, desde o servente até um chefe de seção, ternos bem talhados, camisas finas, botinas de bom cabedal, etc. Assim, conseguira dar um ar de *Foreign Office* ou de *Quai d'Orsay* à modesta Secretaria de Estrangeiros do modesto país da Bruzundanga.

A sua atrapalhação estava na tal história do concurso, pois até ali, devido a tão tola formalidade, não conseguira ter nos cargos de amanuenses moços bonitos e demais para fazer concursos, sempre apareciam uns rebarbativos candidatos de raça javanesa, com os quais ele embirrava solenemente.

Da última vez, até, quase que um atrevido javanês puro conseguiu o primeiro lugar, tal era o brilho de suas provas; Pancome, porém, arranjou as coisas tão lealmente diplomáticas que o rapaz perdeu a última prova.

Não queria que a coisa se repetisse e estudava o modo de, evitando o concurso, encontrar um candidato bonito, bem bonito, não sendo em nada javanês, que pudesse oferecer aos olhares do ministro da Coreia ou do Afeganistão um belo exemplar da beleza masculina da Bruzundanga.

Todos os candidatos que se haviam apresentado não preenchiam essa exigência do seu alto critério governamental.

Alguns eram mesmo feios, outros tinham toques de javanês, e nenhum a beleza radiante que ele queria ver nos amanuenses.

Essas suas sábias medidas para recrutamento do seu pessoal levaram para a sua secretaria moços bonitos e excelentes mediocridades, que ainda procuravam demonstrar a sua principal qualidade intelectual, publicando borracheiras idiotas ou compilações rendosas e pesadas ao Tesouro; entretanto, em certo e determinado sentido, foram profícuas, como teve ocasião de verificar o sucessor de Pancome.

Este, por ocasião de uma festa de sustância, encontrou nos amanuenses e oficiais da escola do visconde, soberbos estofadores, magníficos tapeceiros, exímios ornamentadores de salas; e de tal forma um dado arrumou retratos nas paredes de seu salão, que o ministro da Inglaterra ofereceu-lhe um bem remunerado lugar na domesticidade do castelo de Windsor.

O obstáculo do concurso fazia o visconde pensar a toda a hora e instante na vaga de amanuense, e ele já se resolvera a removê-lo por completo, sem dar nenhuma satisfação a quem quer que fosse, quando, ao despachar o expediente daquele dia, lhe veio ter às mãos um requerimento com fotografias apensas.

Em geral, os ministros não leem o que despacham; limitam-se a rubricar o despacho do secretário ou oficial de gabinete. Pancome não fazia exceção na regra, mas aquele papel, com fotografias, despertou-lhe a atenção. Leu-o. Tratava-se do bacharel Sune Wolfe, que requeria ser provido no lugar vago de amanuense; e, para que avaliar pudesse o senhor ministro de sua beleza física, juntava aqueles dois retratos, um de perfil e outro de frente.

A secretaria tinha exigido selos de juntada em tais documentos, e o despacho do secretário era nesse sentido. O visconde, como sempre, pouco disposto a obedecer às leis, não se incomodou; e, cheio de admiração pela boniteza do requerente, riscou o despacho e escreveu com a sua letra um outro, determinando que o candidato comparecesse à sua presença.

No dia seguinte o rapaz foi ter com o ministro, que ficou embasbacado diante do lindo candidato.

De fato, era bonito, bonitinho mesmo, desbotado de cútis, e parecia até fabricado em Saxe ou em Sèvres. Tinha uns lindos dentes, um belo cabelo cuidado, não era alto, mas era bem apessoado. Merecia muito bem um bom casamento rico; contudo, o visconde quis melhor examiná-lo e perguntou:

– O senhor sabe sorrir bem?

O candidato não se atrapalhou e acudiu com firmeza:

– Sei, Excelência.

– Vamos ver.

E o lindo moço repuxou os lábios, entortou o pescoço de um lado graciosamente, ajeitou os olhos e todo ele foi uma lindeza de impressionar o pacato secretário que, ao lado, assistia ao exame, completamente embrulhado em um fraque venerável e cheio de embevecimento.

Contente com isto, o ministro tratou de ir mais longe na experiência das excepcionais qualidades que o candidato revelava e convidou-o com voz paternal:

– Aperte a mão, ali, do major Marmeleiro, o secretário. Faça o favor.

O examinando não se fez de rogado. Juntou os pés, curvou docemente o busto, levantou o braço e, sempre sorrindo, cumprimentou:

– Senhor major Marmeleiro...

Pancome não cabia em si de contentamento com a sideral aquisição que estava ali. Que elegância! Que lindeza! Dessa feita é que ele ia fazer uma nomeação justa e sábia. Arre! Não era sem tempo...

Era preciso, porém, ver se o donzel conhecia algumas outras coisas de sociedade.

– O senhor sabe dançar? – perguntou.

– Sei, excelentíssimo.

– Vamos ver.

– Mas só e sem música, senhor visconde?!

Ordenou o ministro que o contínuo fosse chamar um certo empregado, exímio em dança; e, enquanto ele ia buscar o funcionário, disse Pancome a Marmeleiro:

– Você sabe assoviar, major?

O secretário estava sempre disposto a responder afirmativamente ao visconde e não se deteve um minuto:

– Sei, senhor visconde.

– Bem – disse Pancôme –, assovie aí uma valsa.

A "dama" já tinha chegado, e Marmeleiro agora hesitava.

– Não sabe? – indagou o ministro severamente.

– Só sei as "Laranjeiras".

– De quem é isso? – perguntou Pancome.

– É do Hamélio.

– Não é lá muito elegante – considerou o visconde –, mas... serve, serve!

Marmeleiro começou a assoviar com todo o recato que o lugar exigia, *fiu, fiu, fiu*..., e os dois dançaram com todas as cerimônias e ademanes dignos de gabinete tão diplomático e do respeito que merecia a presença daquele alto herói ministerial. Pancome verificou com um júbilo paternal que o tal Sune continuava a ser uma maravilha! Que soberbo amanuense ia ele ser! Bendita Bruzundanga que produzia daquilo!

Acabaram de valsar ao som do melodioso assovio de Marmeleiro, e o visconde falou, então, com mansuetude, ao candidato:

– Descanse um pouco, meu filho; e, depois, escreva-me uma carta ao ministro de Interior sobre a necessidade da Bruzundanga se fazer representar no Congresso de Encaixotamento de Pianos em Seul.

O lindo Wolfe esteve a pensar um pouco e retrucou titubeando:

– Vossa Excelência compreende que... Eu! De uma hora para outra... Compreende Vossa Excelência que não tenho prática... Com o tempo... Mais tarde...

Era só redigir cartas o que ele não sabia; mas sendo elegante, bonitinho, bom dançador, tinha todas as boas qualidades para um aperfeiçoado amanuense do extraordinário Pancome.

Tendo em vista as necessidades da representação da Bruzundanga, o visconde nomeou-o logo, sem detença alguma. Foi uma acertada nomeação, e sábia, que veio provar o quanto são tolos os regulamentos e as leis que exigem dos amanuenses a vetusta ciência de saber redigir cartas.

Se não fosse um herói, uma notabilidade universal o ministro, talvez o galante Sune não tivesse sido aproveitado e os estrangeiros não teriam uma favorável ideia da boniteza dos homens da Bruzundanga; mas era, felizmente, e pôde, portanto, pôr de parte as tolas exigências legais, e o país, com tal aquisição para o seu funcionalismo, adiantou um século.

É verdade que o marechal Soult, duque da Dalmácia, e Guizot que em celebridade e notoriedade universal talvez não invejassem as de Pancome, foram ministros de França, e, ao que consta, nunca desrespeitaram ostensivamente as leis do seu tempo. Isto aconteceu em França; mas na Bruzundanga as coisas se passam de outro modo e aquele país só tem ganho com tal proceder, como acabamos de ver.

Feito amanuense, aprendeu logo a copiar minutas e, em menos de seis anos, Sune, o tal da carta, acabou eleito, por unanimidade, membro da Academia de Letras da Bruzundanga.

Ficou sendo o que aqui se chama – um "expoente".

NOTAS SOLTAS

Um anúncio de livraria, na Bruzundanga:

"Acaba de aparecer o extraordinário romance *Meu caro senhor...*, de dona Adhel Karatá, pseudônimo de Hiralhema Sokothara Lomes, filha do grande poeta e escritor Sokothara Lomes, cujas assombrosas glórias literárias ela continua com muito brilho, e irmã do fino estilista e elegante parlamentar Carol Sokothara Lomes. À venda, etc., etc."

* * *

Lá, na Bruzundanga, os mandachuvas, quando são eleitos, e empossados, tratam logo de colocar em bons lugares os da sua clientela. Fazem reformas, inventam repartições, para executarem esse seu alto fim político.

Há, porém, dois cargos estritamente municipais e atinentes à administração local da capital da Bruzundanga, que todos os matutos amigos dos mandachuvas disputam. Os mandachuvas, em geral, são do interior do país. Estes cargos são: o de prefeito de polícia e o de almotacé-mor da cidade. Não só eles são rendosos, pelos vencimentos marcados em lei, como dão direito a propinas e outros achegos.

O de chefe de polícia rende, na nossa moeda, cerca de vinte contos por ano, só nas taxas cobradas às mulheres públicas; o de almotacé-mor da cidade, esse então não se fala...

Sendo, assim, lugares em que se pode enriquecer, não faltam doutores da roça que os queiram e empreguem todas as armas para obtê-los.

Eles mal conhecem a cidade. Se a visitaram ou se mesmo residiram nela, nunca lhes foi possível passar das ruas principais e daquela em que estiveram morando; de forma que lhe ignoram as necessidades, os defeitos a corrigir, a sua história, a sua economia e as queixas de sua população.

Houve um prefeito de polícia que, vindo diretamente da província das Jazidas para a sua prefeitura em Bosomsy, nada sabia da cidade, nem mesmo as ruas principais. Metódico, econômico, por estar muito preocupado em desagravar as suas propriedades de hipotecas, nos primeiros meses de sua gestão limitava-se a ir de casa para a prefeitura no seu automóvel oficial, e voltar dela para a sua residência, também no seu automóvel burocrático.

Certo dia cismou em percorrer, a pé, um dos mais centrais *boulevards* da cidade. Esta recente via pública cortava muitas outras estreitas da antiga cidade e, em todas as esquinas, ele encontrou os urbanos, guardas civis, nos seus postos. Todos estes modestos policiais da cidade o cumprimentavam respeitosamente e o prefeito ficou muito contente com a sua administração. Chegou, porém, em um dado cruzamento de rua donde, de uma estreitinha, tanto da direita como da esquerda, saíam e entravam magotes de povo. Que rebuliço será esse? pensou ele. Será uma *grève*? Um motim? Que será?

O prefeito, assustado, medita logo providências, quando se lembra de pedir ao urbano explicações diretas, sem ir pelos canais competentes:

– Que quer dizer tanto povo aí, nessa rua? – perguntou ele esquecido da celestial altura em que estava.

– Não há nada, senhor prefeito. É sempre assim – acudiu o urbano, levando a mão ao boné.

– Como?

– Vossa Excelência não sabe que esta é a rua mais transitada da cidade, e que é a antiga rua do Desembargador?

O prefeito não conhecia, senão de ouvido, a rua mais célebre do país, dentre todas as ruas célebres das suas principais cidades.

Com um almotacé-mor da cidade, deu-se um caso quase semelhante. Este arconte tinha nascido na província dos Bois, e, apesar de viver desde há muitos anos na capital da Bruzundanga, pouco a conhecia. Quando foi provido no seu cargo, quis fazer em horas o que não havia feito em anos. Tomou o automóvel oficial, certamente, e mandou tocá-lo para os arredores de Bosomsy. Admirou-se muito de que não houvesse por eles matadouros de gado bovino, pois nos da sua pequena, pequeníssima cidade natal, havia-os em quantidade. Não viu senão essa falta e deixou de ver as terras abandonadas, incultas, as estradas esburacadas, terras em que um bom almotacé ainda podia, com proveito, animar o plantio de árvores frutíferas, hortaliças, legumes e a criação de pequeno gado, na zona rural.

Com essa decepção na alma, pois não podia admitir que uma cidade não tivesse nos arredores matadouros para o fabrico da carne salgada, resolveu certo dia visitar as dependências da sua repartição. Chegou ao arquivo. O arquivista, que era zeloso e conhecia bem a história da cidade, prontificou-se a mostrar-lhe os documentos curiosos da vida passada da linda capital:

– Vossa Excelência vai ver as atas das sessões do Senado da Câmara, que...

Eram documentos escritos dos mais antigos, não só da história da cidade, como da do país inteiro; mas o almotacé, com grande surpresa de toda a comitiva, perguntou amuado:

– Como? O quê?

–...as atas do Senado da Câmara, Excelência.

– Qual! Senado é uma coisa e Câmara é outra. Como Senado da Câmara? Que embrulho? Cada um se governa por si... A Constituição...

– Mas...

– Não tem mas, não tem nada. Mande o que é do Senado, para o Senado; e o que é da Câmara, para a Câmara.

Um grande filósofo afirmou que, para bem se conhecer uma instituição, uma ciência, um país, era necessário saber-lhes a história; e ninguém, penso, pode admitir que se possa administrar bem qualquer coisa sem a conhecer perfeitamente.

Os administradores de Bosomsy nada conhecem, como já disse, da cidade, cujos destinos vão reger e cuja vida vão superintender. Exemplifico.

Um prefeito de polícia, como lhes contei, não lhe conhecia a rua principal; e um almotacé-mor, encarregado da administração geral do município, não lhe conhecia a natureza de suas produções nem a sua história, como ficou contado. Ele não sabia que a antiga câmara dos edis, chamava-se Senado da Câmara.

Como estes muitos outros se repetem na administração da capital.

* * *

Via eu todos os dias passar na rua principal de Bosomsy um sujeito cheio de imponência e ademanes fidalgos; perguntei a um amigo:

– Quem é aquele? É algum duque? É marquês?

– Qual! É um tabelião.

* * *

"O senhor F. de Tal, redator da *Warkad-Gazette*, contratou casamento com a senhorita Hilvia Kamond, filha da viúva almirante Bartel Kamond", informava um jornal.

É caso de perguntar: que diabo de coisa é esta "viúva almirante"? Por que a noiva não é logo e simplesmente filha do falecido almirante?

* * *

– Quem é aquele sujeito que ali vai?

– Não lhe sei o nome. Sei, porém, que vive muito bem e é o marido da Klarindhah.

* * *

– O doutor Sicrano já escreveu alguma coisa?

– Por que perguntas?

– Não dizem que ele vai ser eleito para a Academia de Letras?

– Não é preciso escrever coisa alguma, meu caro; entretanto, quando esteve na Europa, enviou lindas cartas aos amigos e...

– Quem as leu?

– Os amigos, certamente; e, demais, é um médico de grande clínica. Não é bastante?

SOBRE O TEATRO

Tendo lido na *Warkad-Gazette* uma notícia elogiosa da estreia da revista *Mel de Pau*, no Teatro Mundhéu, lá fui uma noite. Quando entrei já o espetáculo tinha começado e uma dama, em fraldas de camisa, fumando um cigarro, cantava ao som de uma música roufenha:

Eu hei de saber
Quem foi aquela
A dizer ali em frente
Que eu chupava
Charuto de canela.

Por aí os pratos estridulavam, o bombo roncava e a orquestra iniciava alguns compassos de tango, ao som dos quais a dama bamboleava as ancas. As palmas choviam e, quase sempre, a cantora repetia a maravilha, que tanto fazia rir a plateia.

Na noite seguinte, passando pelo Harapuka-Palace, li no cartaz: "Todo o serviço", revista hilariante, em três atos, etc.

Entrei. No palco uma dama, em fraldas de camisa, fumando um cigarro, cantava acompanhada de uma música rouca:

Eu hei de saber
Quem foi aquela
A dizer ali em frente
Que eu chupava
Charuto de canela.

Acabando, os pratos eram feridos, o bombo trovejava, a música inteira iniciava uns compassos de "maxixe" e a dama, com as mãos nos quadris, bamboleava as ancas. Risos, palmas e o portento era repetido.

Interessei-me por tão variado teatro e foi com agrado que em certa noite, muito próxima destas duas últimas, aceitei um convite para ir ao Mussuah Theatre. Lá dei com uma outra dama, em fraldas de camisa, fumando e cantando, sob a direção da batuta do maestro:

Eu hei de saber
Quem foi aquela
A dizer ali em frente
Que eu chupava
Charuto de canela.

Risos, palmas, pratos, chocalhos, bombos; a música iniciava alguns compassos, e a dama remexia bem os quadris. Tratava-se da revista "Está pra tudo".

Assim, fui a três ou quatro teatros e sempre dei com uma dama a cantar esta coisa tão linda:

Eu hei de saber
etc., etc., etc.

SOBRE OS LITERATOS

– Quantas cartas tens aí! – exclamei eu ao vê-lo abrir a carteira para tirar uma nota com que pagasse a despesa.

– São "pistolões".

– Pra tanta gente?

– Sim; para os críticos dos jornais e das revistas. Não sabes que vou publicar um livro?

SOBRE OS JORNAIS

Novidades telegráficas sensacionais:

"Cocos, 2 – Foi aposentado o primeiro escriturário da intendência F (A. A.), *Correio Vespertino*, de 3-6-07."

"Caranguejos, 22 – Os padres maristas comemoraram ontem com grandes festas o centenário da fundação da respectiva ordem (J. C., ed. t., de 22-6-17)."

"Guarabariba, 22 – Foi desligado do quadro da administração dos Correios daqui o praticante de segunda classe Virgílio César, por ter sido removido para os Correios de Santa Catarina.

– Chegaram a esta capital os doutores Ascendino Cunha e Guilherme Silveira (J. C., ed. t., de 22-6-17)."

ERUDIÇÃO

"Costumava o imperador Tito Lívio dizer que tinha ganho o seu dia sempre que lhe era dado realizar um benefício." (*Correio Matutino*, de 2-11-13).

Tito Lívio foi imperador?

"E é o motivo dessa antecipação que está sendo explicado, agora, nos jornais da Fortaleza, pelos entendidos na matéria, um dos quais acusa como razão desse desequilíbrio a abertura do canal de Panamá, que pôs em contato duas grandes massas de água de nível diferente" (*O Imparcial*, de 12-11-15).

A que fica reduzida a tal história do equilíbrio dos líquidos em vasos comunicantes? Pobre Ganot, quer o grande, quer o pequeno!

SOBRE A ADMINISTRAÇÃO

"A extração deste combustível na América do Sul se eleva, contudo, a mais de 1.500.000 toneladas, produzindo o México 500.000 toneladas e o Chile o restante" (Relatório oficial sobre *A Indústria Siderúrgica no Mundo*, pelo general F. M. de S. A., pág. 198)

O México na América do Sul? Que terremoto!

* * *

Coisas maravilhosas de um tradutor burocrático:

1º) arbustos de serra (*arbrisseaux de serre*)
2º) bilhetes de bilhar (*billes de billard*)
3º) Tecidos de... cânhamo ou de ramia (*ramie*)
4º) fetos de serra (*fougères de serre*)
5º) berloques, colorados... (*breloques, coloriées*).

Todas estas e muitas outras lindezas semelhantes vieram publicadas no *D.O.* da Bruzundanga, em 23 de março de 1917, e o ato era assinado pelo grande ministro Kallokeras.

* * *

"A seleção nas repartições é feita inversamente de forma que os empregados mais graduados são os mais néscios e inscientes. Houve quem propusesse para corrigir tal defeito que se mudasse a hierarquia burocrática: o cargo de diretor passava a ser o primeiro da escala e o de praticante, o último."

No gabinete do ministro

– O senhor quer ser diretor do Serviço Geológico da Bruzundanga? – pergunta o ministro.

– Quero, Excelência.

– Onde estudou Geologia?

– Nunca estudei, mas sei o que é vulcão.

– Que é?

– Chama-se vulcão a montanha que, de uma abertura, em geral no cimo, jorra turbilhões de fogo e substâncias em fusão.

– Bem. O senhor será nomeado.

* * *

Pancome, quando se deu uma vaga de amanuense na sua secretaria de Estado, de acordo com o seu critério não abriu concurso, como era de lei, e esperou o acaso para preenchê-la convenientemente.

Houve um rapaz que, julgando que o poderoso visconde queria um amanuense *chic* e lindo, supondo-se ser tudo isso, requereu o lugar, juntando os seus retratos, tanto de perfil como de frente. Pancome fê-lo vir à sua presença. Olhou o rapaz e perguntou:

– Sabe sorrir?

– Sei, excelentíssimo senhor ministro.

– Então mostre.

Pancome ficou contente e indagou ainda:

– Sabe cumprimentar?

– Sei, senhor visconde.

– Então, cumprimente ali o major Marmeleiro.

Este major era o seu secretário e estava sentado, em outra mesa, ao lado da do ministro, todo ele embrulhado em uma vasta sobrecasaca.

O rapaz não se fez de rogado e cumprimentou o major com todos os "ff" e "rr" diplomáticos.

O visconde ficou contente e perguntou ainda:

– Sabe dançar?

– Sei, excelentíssimo senhor visconde.

– Dance.

– Sem música?

O visconde não se atrapalhou. Determinou ao secretário:

– Marmeleiro, ensaia aí uma valsa.

– Só sei "Morrer sonhando" (exemplo).

– Serve.

O candidato dançou às mil maravilhas, e o visconde não escondia o grande contentamento de que sua alma exuberava.

Indagou afinal:

– Sabe escrever com desembaraço?

– Ainda não, doutor.

– Não faz mal. O essencial, o senhor sabe. O resto o senhor aprenderá com os outros.

E foi nomeado, para bem documentar, aos olhos dos estranhos, a beleza dos homens da Bruzundanga.

SOBRE OS SÁBIOS (A DESENVOLVER)

Os engenheiros, tanto os civis como os militares, mais estes que aqueles, julgam-se geômetras. Não o são absolutamente; os melhores são simples professores.

* * *

Os médicos da Bruzundanga imaginam-se sábios e literatos.

Pode-se afirmar que não são nem uma coisa nem outra.

* * *

É sábio, na Bruzundanga, aquele que cita mais autores estrangeiros; e quanto mais de país desconhecido, mais sábio é. Não é, como se podia crer, aquele que assimilou o saber anterior e concorre para aumentá-lo com os seus trabalhos individuais. Não é esse o conceito de sábio que se tem em tal país.

Sábio é aquele que escreve livros com as opiniões dos outros.

Houve um que, quando morreu, não se pôde vender-lhe a biblioteca, pois todos os livros estavam mutilados. Ele cortava-lhes as páginas para pregar no papel em que escrevia os trechos que citava e evitar a tarefa maçante de os copiar.

* * *

Há mais de século que se estudam nas suas escolas superiores, as altas ciências; entretanto os sábios da Bruzundanga não têm contribuído com coisa alguma para o avanço delas.

Em toda a parte, os sábios, de qualquer natureza são homens de recursos medianos, modestos, retraídos, pouco mundanos, mesmo quando ricos. Na Bruzundanga, não; os sábios são nababos, têm carros e automóveis de luxo, palácios; frequentam teatros caros durante temporadas completas, dão festas suntuosas nos seus hotéis, etc., etc.

* * *

Não há médico afreguesado que não seja considerado um sábio pela gente da Bruzundanga, e, para firmar tal reputação, não fabrique uma compilação escrita em sânscrito. O médico sábio não pode escrever em outra língua que o sânscrito. Isto lhe dá foros de literato e aumenta-lhe a clínica.

Com a vida dos sábios da Bruzundanga ninguém poderia escrever *Os Mártires da Ciência.* Têm eles a precaução preliminar de inaugurarem a sua sabedoria com um casamento rico.

SOBRE A MÚSICA

A música, na Bruzundanga, é, em geral, a arte das mulheres.

É raro aparecer no país uma obra musical.

SOBRE A INDÚSTRIA

A indústria nacional da Bruzundanga tem por fim espoliar o povo com os altos preços dos seus produtos. É nacional, mas recebe a matéria-prima, já em meia manufatura, do estrangeiro.

A ÚLTIMA NOTA SOLTA

A habilidade dos governantes da Bruzundanga é tal, e com tanto e acendrado carinho velam pelos interesses da população que lhes foram confiados, que os produtos mais normais à Bruzundanga, mais de acordo com a sua natureza, são comprados pelos estrangeiros por menos da metade do preço pelo qual os seus nacionais os adquirem.

OUTRAS HISTÓRIAS DOS BRUZUNDANGAS

AS LETRAS NA BRUZUNDANGA

"A solenidade que aqui nos reúne e para a qual foram convocados os poderes do Céu e da Terra, e o Mar, é de tanta magnitude que

a não podemos avaliar senão rastreando, através das sombras do Tempo, a sua projeção no Futuro."

Coelho Neto. *Discurso na inauguração da piscina do Fluminense F.C.*

O meu livro de viagem à República dos Estados Unidos da Bruzundanga está a sair das mãos do editor carioca Jacinto Ribeiro dos Santos; por isso nada lhe posso adicionar, senão quando estiver em segunda edição, caso tenha ele essa felicidade.

Nesse meio tempo, porém, tenho recebido notícias de lá que, sem implicar numa total modificação dos costumes e hábitos daquele notável povo e daquela curiosa terra, observados já por mim, revelam, entretanto, pequenas alterações interessantes que não devem ficar sem registro. Uma delas é a que se está passando com os seus literatos e poetas.

Em todos os tempos os homens de letras, maus ou bons, geniais ou medíocres, ricos ou pobres, gloriosos ou *ratés,* sempre se julgaram inspirados pelos deuses e confabulando intimamente com eles. A vida dos escritores, poetas, comediógrafos, romancistas, etc., está cheia de episódios que denunciam esse singular orgulho deles mesmos e da missão da arte de escrever a que se dedicam. Todos eles se deixariam morrer à fome ou de miséria, antes de transformar a sua Musa em passatempo de poderosos e ricaços. Entregaram essa função aos bufões, aos histriões, aos bobos da corte, etc.

Mesmo quando um duque ou um príncipe tinha um poeta a seu soldo, o estro dele só era empregado para solenizar os grandes acontecimentos privados ou públicos em que o duque ou o príncipe estivesse de qualquer forma metido. Se se tratasse de um batizado na família, de um casamento, do aniversário da duquesa, de uma vitória ganha pelo príncipe, de sua nomeação para embaixador junto à corte de Grão-Mongol, sim! O poeta palaciano tinha que puxar a mitologia do tempo, escrever uma ode, um epinício, um ditirambo ou mesmo um simples soneto, conforme fosse a natureza da festa. Mesmo para as mortes havia a elegia com todas as suas regras marcadas na retórica e poética daqueles tempos de reis, marqueses e duques.

Esses fidalgos mesmo aceitavam de bom grado o orgulho profissional dos seus poetas *attachés*. Alguns destes mereciam até homenagens excepcionais, como um tal Alain Chartier, poeta francês do século XV. Conta-se que a delfina Margarida da Escócia, passando com o seu séquito de damas e cavalheiros de honor por uma sala em que estava cochilando o poeta, não trepidou em beijá-lo na boca diante de todo o seu acompanhamento. A mulher do príncipe, que foi mais tarde o sombrio e velhaco Luís XI de França, justificou o ato dizendo que apesar do desgracioso físico de Alain, a encerrar, contudo, tão belo espírito, daquela boca tinham saído tantas palavras douradas, que ele merecia aquela sua imprevista homenagem. As crônicas do tempo contam esse episódio que me parece não ter eu adulterado e, além deste, muitos outros interessantes, em que se mostra até que ponto os homens de pena eram prezados pelos poderosos de antanho, e como eles tinham em grande conta a sua missão de troveiros e trovadores.

Na Bruzundanga, até bem pouco, era assim também. A sua nobreza territorial e agrícola estimava muito, a seu jeito, os homens de inteligência, sobremodo os poetas, aos quais ela perdoava todos os vícios e defeitos. Essa fidalguia à roceira daquele país era assim semelhante aos nossos "fazendeiros", antes da lei de 13 de maio; e poeta, ou mesmo poetastro, que aportasse nas suas fazendas, que lá são chamadas ampliúdas, tinha casa, comida, roupa nova, quando dela precisasse, e lavada toda a semana, podendo demorar-se no latifúndio o tempo que quisesse, e fazendo o que bem lhe parecesse, desde que nada tentasse contra a decência e a honra da família. Por agradecimento, então, em dia festivo da família ou da religião, ao jantar cerimonioso e votivo, o vate recitava uma poesia inédita, alusiva ou não ao ato, e tomava uma grande e alegre carraspana.

Houve um até, uma espécie do nosso Fagundes Varela, que é ainda lá muito célebre, recitador nas salas, e cujas obras têm tido muitas edições, que viveu anos inteiros em peregrinações de ampliúda para ampliúda, sem saber o que era uma moeda, por mais insignificante que fosse de valor, comendo, bebendo, fumando, sem que nada lhe faltasse, a não ser dinheiro de que ele mesmo não sentia nenhuma necessidade. Tinha tudo...

Recentemente, na Bruzundanga, uma revolução social e, logo em seguida, uma política, deslocaram essa boa gente da fortuna, e muitos deles até dos seus domínios, que vieram a cair nas mãos de aventureiros recentemente chegados à terra ou, quando nascidos nela, eram de primeira geração, descendendo diretamente de imigrantes recentes cujo único pensamento era fazer fortuna do pé para a mão, cheios de uma avidez monetária e inescrupulosa que transmitiram decuplicada aos filhos, e logo os lindos costumes de antiga nobreza agrária se perderam. Os poetas foram postos à margem e não tiveram mais nem consideração nem desprezo. Era como se não existissem, como se fosse possível isso, seja em sociedade humana, fora de qualquer grau de civilização que ela esteja.

Aos poucos, porém, os *parvenus* viram bem que era preciso pôr um pouco de beleza e de sonho nas suas existências de mascates broncos e ferozes saqueadores legais. Deram em pagar sonetos que festejassem o nascimento dos filhos e elegias que lhes dessem lenitivo por ocasião da morte dos pais. Pagavam bem e pontualmente, como hoje se pagam as missas de sétimo dia aos sacerdotes que oficiam nelas, ou em outras cerimônias menos tristes.

Alguns, porém, quiseram mais ainda e, tendo notícias que os nobres feudais, de espada e cavalo de batalha encouraçado e intrépido, tinham os seus vates e trovadores, nos seus castelos e *manoirs*, pensaram em tê-los também, pagando-os a bom preço, a fim de que contribuíssem com as suas "palavras douradas" para o brilho de suas festas.

Um desses milionários, caprichoso e voluntarioso, quis ir mais longe ainda. Tendo construído nos fundos de sua chácara, situada em um pitoresco arrabalde da capital da República da Bruzundanga, um tanque imenso, para dar banho aos cavalos de raça das suas opulentas cavalariças, teimou que havia de inaugurá-lo soberbamente, com notícias nos jornais, bênçãos religiosas e um discurso feito pelo maior literato de Bruzundanga, ou tido como tal, enfim, pelo mais famoso.

Não posso garantir que o Creso tivesse pago ao celebérrimo poeta ou que este lhe devesse algum dinheiro; mas o certo é que, desprezando a dignidade de sua Arte e a Glória, a reputação literária mais absorvente e mais tirânica da Bruzundanga, pescou latim, grego, a cabala judaica, o Ramaiana, os Evangelhos e inaugurou com um discurso assim pomposo e grandiloquente, no estilo hugoano, o banheiro dos ginetes do multimilionário Har-al-Nhardo Ben Khénly.

O altitudo!

O Parafuso, São Paulo, 12-3-1919.

A ARTE

O país da Bruzundanga, hoje República dos Estados Unidos da Bruzundanga, antigamente império, tem-se na conta de civilizado e, para isso, entre outras coisas, possui escolas para o ensino de belas-artes.

Naturalmente dessas escolas saem competências em pintura, escultura, gravura e arquitetura que devem ter mais ou menos talento; entretanto, ninguém lhes dá importância, seja qual for o seu mérito.

Se não conseguem lugares de professores, mesmo de desenho linear, nenhum favor público ou particular recebem da sua nação e do seu povo.

Houve um até, pintor de mérito, que se fez fabricante de tabuletas para poder viver; os mais, quando perdida a força de entusiasmo da mocidade, entregam-se a narcóticos, especialmente a uma espécie da nossa cachaça, chamada lá *sodka,* para esquecer os sonhos de arte e glória dos seus primeiros anos.

Dá-se o mesmo com os poetas, principalmente os pouco audazes, aos quais os jornais nem notícia dão dos livros.

Conheci um dos maiores, de mais encanto, de mais vibração, de mais estranheza, que, apesar de ter publicado mais de dez volumes, morreu abandonado num subúrbio da capital da Bruzundanga, bebendo *sodka* com tristes e humildes pessoas que nada entendiam de poesia; mas o amavam.

A gente solene da Bruzundanga dizia dele o seguinte: – É um javanês, equivalente ao nosso "mulato" aqui, e não sabe sânscrito.

Essa gente sublime daquele país é quase sempre mais ou menos javanesa e, quase nunca, sabe sânscrito.

Todo estímulo se vai, e uma arte própria lá não se cria por falta de correspondência entre o herói artístico e a sua sociedade.

Não é que ela não tenha necessidade dessa atividade do espírito humano, tanto assim que os jornais da Bruzundanga vêm pejados de notícias, encômios, ditirambos às mediocridades mais ou menos louras do que as de lá.

Tenho aqui adiante dos olhos um jornal da Bruzundanga que trata de um poeta da Austrália, cujos melhores versos são como estes:

Fui lá em cima ver meu Deus;
Voltei triste, por nada encontrar.
Mas se tiver forças hei de voltar
Para vê-lo de novo outra vez.

A notícia está assinada com o nome do autor e justifica os elogios que lhe faz, com estas palavras, cuja aplicação devia caber aos seus camaradas e contemporâneos, para animá-los a fazer grandes coisas. Ei-las:

"Nada mais agradável e, sobretudo, nada mais útil que aplaudir os espíritos que apenas desabotoam, ainda cheios do calor dos primeiros sonhos, ainda ressoantes da vibração dos primeiros voos. Para eles não deve ser a crítica um instrumento frio, insensível, com as asperezas de uma medida certa, senão uma voz de estímulo, uma alentadora voz que embale o coração e penetre, carinhosamente, a inteligência que reponta. O comentário, sem ser exagerado, para não se tornar prejudicial, sem ser frívolo, para não se transformar em elemento nocivo, em fonte de erros e vícios, deve procurar os aspectos mais significativos do temperamento que surge, apontando, com amoroso intuito, as insuficiências, as indecisões da primeira hora, as dúvidas e as hesitações peculiares aos que começam.

Geralmente, porém, não costumam os críticos profissionais usar de tais cautelas antes preferem exercer o seu mister, com rudeza e impassibilidade, confundindo autores novos, sem responsabilidades literárias ainda firmadas, para os quais o maior rigor é brandura."

É engraçado que seja só maior rigor a brandura quando se trata de poetas da Austrália; mas quando se trata de vates da Bruzundanga a maior brandura é o rigor.

Não é só assim em poesia. Nas artes plásticas, na música, tudo é assim.

Chega à capital da Bruzundanga um pintor que se diz pintor e espanhol, a quem ninguém nunca viu ou conheceu, e logo os críticos dos jornais, viajados e lidos, finos e limpos de colarinhos, logo dizem: – Este Don Tuas y Trias é Velázquez, é Zurbarán, é o Greco, é Goya, etc., etc."

Os quadros que ele traz talvez não sejam dele; são de uma banalidade de concepção e de uma infantilidade de execução lamentáveis; mas os tais homens lidos, viajados, que desprezam os javaneses, os mulatos de lá, afirmam que o homem é extraordinário.

Dito isto, logo todos os bobos ricos, enriquecidos com o tráfico do ópio e outras coisas maléficas, a fim de imitarem os príncipes da Renascença, já se viu!, correm à exposição e compram os quadros a preço de ouro, enquanto os pobres-diabos naturais ou vivendo na Bruzundanga, que são conscienciosos do seu mister, morrem em ofícios humildes ou de *sodka*.

É assim o gosto da gente superior da Bruzundanga, gente feita de doutores e aventureiros, ambos dados à chatinagem e à veniaga, desde os primeiros caçando casamentos ricos e os segundos na cavação comercial e industrial, sem ter tido tempo para se deter nessas coisas de pensamento e arte.

Quando ficam ricos, estão completamente embotados, para não dizer mais...

Houve um pintor viriático que veio com uns quadros dramáticos, cenográficos para a Bruzundanga, precedido de uma fama de todos os diabos, a ponto de um guarda-livros, Filinto, não hesitar em dizer que era Leonardo Da Vinci.

Quando publicar estas notas em volume, que está a aparecer em edição de Jacinto Ribeiro dos Santos, meu bom amigo e camarada, hei de juntar uma reprodução do retrato equestre de um rei dele, o pintor, que é o modelo mais perfeito do maneirismo, do apelo aos uniformes, aos chamalotes, às plumas que conheço, em pintura.

Estas notas foram escritas ao correr da pena; mas, entretanto, poderei desenvolvê-las se os interessados me provocarem. Escrevo em dia oportuno.

ABC, Rio, 7-9-1919.

LEI DE PROMOÇÕES (CRÔNICA MILITAR)

O que tem até agora regulado as promoções, quer no exército e armada, quer na polícia e guarda nacional, é o arbítrio, o capricho e a ignorância cega dos elementos da genesíaca cartesiana, que os metafísicos definem erroneamente como aplicação da Álgebra à Geometria.

No semisséculo genial e fecundo que medeou entre Descartes e Leibnitz, muita conquista útil foi obtida no terreno da análise transcendente, mesmo antes da sua completa sistematização pelo gênio do último daqueles filósofos.

Fermat, Cavallieri, Roberval e outros muitos concorreram para o estabelecimento definitivo do instrumento leibnitziano, uma imortal conquista científica, para obtenção da qual o espírito humano estava assaz maduro, tanto assim que Newton, pela mesma época, apresentou o seu cálculo das fluxões.

Todo esse lento e paciente trabalho que absorveu o espírito de tantos grandes homens da Humanidade, obriga-nos a dispensar um culto acendrado à memória deles, por isso lhes cito aqui os nomes, ao lembrar as suas descobertas que muito lucraram com o rigor e a justiça das promoções nos batalhões dos colégios equiparados e linhas de tiro.

Nestas unidades, o acesso ao posto imediato é determinado por um processo rigorosamente científico, de um rigor verdadeiramente astronômico.

É preciso estendê-lo ao resto das forças armadas.

Suponhamos um sargento que quer ser alferes. Pega-se o candidato e faz-se engolir a seguinte beberagem:

Ácido azótico	5 g
Oxalato de potássio	7 g
Magnésia calcinada	3 g
Bicloreto de mercúrio	2 g
Água destilada	100 g

Deve-se dar ao paciente tudo isto de uma só vez. Se o sujeito não bater a bota, examinam-se as fezes com o papel *tournesol,* que, no caso de avermelhar-se, indica que o tipo pode ser alferes. No contrário, não.

Isto não tem nada que ver com Leibnitz, nem com o seu cálculo infinitesimal; mas não me ficava bem deixar de citar o imortal filósofo e a sua magna obra, podendo, se assim não procedesse, ser confundido com um qualquer legislador metafísico e anarquizado por aí, que não é senhor do saber integral da humanidade.

A dosagem que indiquei, deve variar quando se tratar de polícias, guardas nacionais e oficiais de fazenda. Para os primeiros carregar no ácido azótico, para os segundos e terceiros, dobrar a dose de bicloreto de mercúrio.

Com o emprego deste método que é rigorosamente científico, o governo pode ter, em breve, um corpo de oficiais perfeitamente selecionados pela morte e um povoamento rápido e instantâneo dos cemitérios; o que, afinal, é o fim natural de todas as guerras a que os oficiais, sejam desta ou daquela corporação, são obrigados a servir com todos os riscos e vantagens.

Há, porém, o método empírico que é mais humano e compatível com o grau de adiantamento a que chegou a nossa humanidade atualmente. Não há morte, nem sangue, nem bravura, nem salvas.

Este método é muito usado na guarda nacional e poucas outras entidades, vocabulário do *football*, militares. Vamos ver em que consiste.

Um tal método tem por princípio básico só admitir à promoção, oficiais que nunca tenham visto soldados, fortalezas, quartéis, etc.

Por esse processo, estão fatalmente eliminados todos os oficiais que hajam servido em guarnições longínquas.

O mais relevante conhecimento exigido para as promoções, de acordo com esse processo empírico, é o de uma perfeita sabedoria nas marcas de papel de ofícios, de grampos, colchetes e alfinetes, para papéis. Contam-se como ultrameritórios os serviços pacíficos em linhas telegráficas, em leitura de pluviômetros, em conversas com bugres filósofos e em construção de estradas de ferro que não acabam mais.

Em caso de merecimento igual entre os candidatos, promovido será o que tiver melhor "pistolão".

Para isso, o oficial precavido não se deve afastar da capital do país; e, nela, sempre cultivar a amizade de poderosos políticos e pessoas de seu amor e amizade; e é, por isso, que os oficiais que servem em guarnições longínquas, fronteiras, etc., não podem entrar na lista das promoções, determinação que se subentende nesse sistema empírico que a sabedoria dos tempos consagrou com alguns retoques.

Não falei nas promoções nos bombeiros. Emendo a mão. Nos bombeiros, corporação reduzida, as promoções devem ser feitas em família. É o melhor.

O que acabo de dizer, são como os *croquis* das minhas ideias sobre promoções nas classes armadas, sendo que algumas não me pertencem propriamente, antes a todos os militares, suas mulheres, filhas e noivas. Eis aí.

Capitão Ortiz y Valdueza (do exército da Bruzundanga).

Reconheço a rubrica supra e a letra do capitão Ortiz y Valdueza, do corpo de submarinos do Exército da República dos Estados Unidos da Bruzundanga.

(Tenho o sinal público e, à margem, "grátis"), O COPISTA.

Careta, Rio, 29-1-21.

REJUVENESCIMENTO (CRÔNICA MILITAR)

"Todas as medidas esperadas para resolver o problema do rejuvenescimento dos quadros do Exército, das discutidas no Congresso, não conseguiram sair do campo das discussões.

Rejuvenescer os quadros não significa somente melhorar o futuro dos oficiais; é concorrer para que não reine o desânimo, para que seja mantido o ardor profissional.

Não é possível esperar dum oficial que moireja de seis a oito anos em cada posto, que ele tenha sempre o mesmo entusiasmo, que a própria idade consegue arrefecer.

E com a idade vem naturalmente a diminuição do vigor físico exigido para o desempenho do árduo trabalho de oficial de tropa."

É assim que se exprime sabiamente um jornal desta cidade. Estamos de pleno acordo com as opiniões do nosso colega diário; mas julgamos, no nosso humilde parecer, que ele só encara uma face do problema. É nossa opinião que essa questão de rejuvenescimento, é uma questão geral e interessa, não só aos militares, como também a outras classes da sociedade.

Que ardor profissional pode ter um carpinteiro que tem cinquenta anos de idade e trabalha no ofício desde os dezesseis?

A sua obra há de se ressentir da fadiga dos seus músculos cansados e do desinteresse que traz a monotonia de fazer durante anos a mesma tarefa. A sociedade perde muito com isso, pois os seus trabalhos não terão a perfeição que havia nos que executava com trinta anos de vida.

Seria inútil repetir exemplos como este, pois eles estão aí aos pontapés, para mostrar o quanto é indispensável decretar medidas que rejuvenesçam os quadros de todas as profissões.

Para as funções públicas, inclusive as militares, já o célebre filósofo político-militar dinamarquês, Hans Reykavyk propôs dois métodos para obter o remoçamento dos quadros:

Um, aparente meramente, e de origem feminina; o segundo substancial e rigorosamente científico.

O primeiro método se baseia nas pinturas, pomadas e massagens. Não há negar que o seu emprego, quando executado por operador hábil, dá ao indivíduo que a ele se sujeita a aparência de mocidade; mas é só aparência e não restitui a quantidade de força vital que o indivíduo perdeu com o correr dos anos.

De resto, ele ia levar para a caserna hábitos de camarim de atriz.

A guerra em si mesma nada tem de teatral; só acham essa coisa nela os pintores de batalhas que recebem encomendas dos governos, e os literatos da moda.

A guerra em si é uma coisa brutal e horrendamente ignóbil; a única consideração que rege a batalha, se há uma, está na cabeça de quem a dirige, e isto não é matéria para tela, nem para páginas literárias, mas notas e riscos numa carta topográfica, em escala conveniente com convenções adequadas.

Além disto, introduzindo hábitos teatrais no viver guerreiro, iria isso perturbar a ação dos combatentes, diminuir-lhes a eficiência com a suposição de que deviam tomar belas atitudes, para obter o aplauso da galeria, distraindo-lhes do verdadeiro objetivo de sua ação que é dar cabo do inimigo, por *fas* ou *nefas*.

Esse sistema de academia de beleza não pode ser adotado, sendo essa também a conclusão a que chega, depois de exaustiva análise, o grande filósofo dinamarquês que nos guia nestas despretensiosas notas.

Resta o método científico que se estriba na psicologia experimental e é corrigido pela sociologia transcendente.

Não posso transcrever aqui todas as considerações que precedem a exposição que o senhor Hans Reykavyk faz desse método.

Bastará dizer-lhes que, depois de expor fatos concretos em abundância, ele estabelece o postulado de que o general deve ser moço; de menos de trinta anos, pois é nessa idade que os homens têm o máximo de iniciativa.

Saído das escolas militares o oficial será logo general, ganhando como tenente, depois irá descendo de graduação, de forma a chegar aos sessenta como tenente, ganhando como general.

Eis em linhas gerais o plano de rejuvenescimento dos quadros de oficiais militares, a que chega o ilustre Reykavyk, após uma análise detalhada das conclusões da psicologia experimental, convenientemente corrigidas pela sociologia transcendente.

Além de outras vantagens, tem este método a de fazer que os tenentes deixem, por morte, para as viúvas, filhos, filhas, genros e netos um montepio que porá estes a coberto de todas as necessidades, montepio de general.

Pelo seu caráter geral e abstrato, com as necessárias modificações, ele pode aplicar-se, não só a todas as corporações militares, como também a quaisquer outras civis, estipendiadas pelo governo.

Não é preciso mais dizer, a fim de pôr em evidência o grande alcance do sistema do pensador dinamarquês e chamar para ele a atenção do legislativo brasileiro.

Creio que, fazendo isso, cumpro um dos deveres da missão militar de que me acho incumbido no Brasil.

Capitão Ortiz y Valdueza, do corpo de submarinos dos Estados Unidos da Bruzundanga.

Pela tradução do "bengali". Lima Barreto. (Tradutor público *ad-hoc*).

Careta, Rio, 19-3-1921.

NO SALÃO DA MARQUESA

Na República da Bruzundanga, nunca houve grande gosto pelas coisas de espírito. A atividade espiritual daquelas terras se limita a uns doutorados de sabedoria equívoca; entretanto, alguns espíritos daquele Fonkim se esforçavam por dar um verniz espiritual à sociedade da terra. Escreviam livros e folhetos, revistas e revistecas, de modo que, artificialmente, o país tinha uma certa atividade espiritual.

Notavam todos a falta de salas literárias, de salões espirituais, tais aqueles que tanto brilho deram ao século XVIII francês, revelando não só grandes escritores e filósofos, mas também espíritos femininos que, pela sua graça, pelo seu talento de penetração, muito distinguiram o sexo amável, antes desse feminismo truculento e burocrático que anda por aí.

Consciente desta falta, a marquesa de Borós, uma senhora de alta estirpe e não menos alta inteligência, tomou o alvitre de fundar um salão literário.

Ela residia em um grande palácio que se dependurava sobre a cidade capital, do alto de uma verdejante colina; e nele, em certas e determinadas tardes reunia os intelectuais do país.

Em começo, recebeu alguns de valia; mas, bem depressa, os fariseus e simuladores de talento tomaram conta da sala.

A sua delicadeza e a sua bondade se viu obrigada a receber toda essa chusma de mediocridades que, sem ter talento nem vocação, se julgam literatos e artistas, como se se tratasse de condecorações e títulos fornecidos pelo presidente da República do Cunany.

A esse pessoal, acompanhou o equivalente feminino; e era de ver como Cathos fazia *pendant* ao farmacêutico Homais; Madelon ao gramático Vaugelas; e Filaminta ao artista Pèlerin.

Uma sociedade, ou antes, este salão começou a dominar a atividade espiritual do país; e não havia recompensa do esforço intelectual em que ele não se metesse e até pusesse o seu veto.

O parecer dele era sempre sobremodo néscio e tolo.

Para uns, ele opinava:

– O Jagodes receber prêmio? Qual! Um filho natural! Não é possível!

Para outros, ele sentenciava:

– Não julgo o Fagundes digno de figurar no Grêmio Literário Nacional... Ele não bebe *champagne*!

A propósito destoutro, ele dogmatizava:

– O Bustamante não pode receber a medalha. É verdade que ele tem merecimento; mas veste-se muito mal...

Essa opinião acabava de ser pronunciada pelo ilustre literato Manuel das Regras, cuja obra por ser desconhecida era de alto valor, quando, num canto da sala, foi visto um sujeito malvestido, relaxado, sujo mesmo, com um todo de homem de outros tempos.

Todos se entreolharam com certo medo, apesar de o estranho não ter nenhum ar de existência sobrenatural.

Um mais animoso resolveu-se a falar ao intruso:

– Quem é o senhor?!

– Eu! Eu sou Francisco II, rei da Prússia.

E toda aquela miudeza de gente escafedeu-se por todas as portas e janelas da sala.

Careta, Rio, 5-11-21.

OUTRAS NOTÍCIAS

Da minha viagem à República dos Estados Unidos da Bruzundanga, tenho publicado, no *A.B.C.*, algumas notas com as quais organizei um volume que deve sair dentro em breve das mãos do editor Jacinto Ribeiro dos Santos.

Estou fora da Bruzundanga há alguns anos; mas, de quando em quando, recebo cartas de amigos que lá deixei, dando-me notícias de tão interessante terra.

De algumas vale a pena dar conhecimento ao público que se interessa pela vida desses povos exóticos e paradoxais.

Diz-me um amigo, em carta de meses atrás, que a Bruzundanga declarou guerra ao império dos Ogres; mas não mandou tropas para combatê-los ao lado dos outros países que já o faziam. Tratou unicamente de vender uma grande partida de tâmaras dos seus virtuais aliados, com o que o intermediário ganhou uma fabulosa comissão.

Outra carta que de lá recebi, mais tarde, conta-me que os governantes da Bruzundanga resolveram afinal mandar uma esquadra para auxiliar os países amigos que combatiam os Ogres.

Logo toda a Bruzundanga se entusiasmou e batizou a sua divisão naval de "Invencível Armada".

Como lá não houvesse um duque de Medina Sidonia, como na Espanha de Felipe II, foi escolhido um simples almirante para comandá-la.

A esquadra levou longos meses a preparar-se e com ela, mas em paquete, partiu também uma missão médica, para tratar dos feridos da guerra contra os Ogres.

Tanto a esquadra como a missão chegaram a um porto intermediário, onde, em ambas, se declarou uma peste pouco conhecida. Chamado o chefe da comissão médica, este respondeu:

– Não entendo disto... Não é comigo... Sou parteiro.

Um outro doutor da missão dizia:

– Sou psiquiatra.

E não saiu daí.

– Não sei – acudiu um terceiro, ao se lhe pedir os seus serviços profissionais –, não curo defluxos. Sou ortopedista.

Não houve meio de vencer-lhes a vaidade de suas especialidades, de anúncio de jornal.

Assim, sem socorros médicos, a "Invencível Armada" demorou-se longo tempo no tal porto, de modo que chegou aos mares da batalha, quando a guerra tinha acabado.

Melhor assim...

Não foram só estas duas cartas que me trouxeram novas excelentes da Bruzundanga.

Muitas outras me chegaram às mãos; a mais curiosa, porém, é a que me narra a nomeação de um papagaio para um cargo público, feita pelo poder executivo, sem que houvesse lei regular que a permitisse.

Um ministro de lá muito jeitoso, que andava fabricando em vida, ele mesmo, as peças de sua estátua, julgou que fazendo uma tal nomeação... tinha já em bronze o baixo-relevo do monumento futuro à sua glória.

Consultou um dos seus empregados que estudava leis e a interpretação delas em Bugâncio, sabia a casuística jesuítica, além de conhecer as sutilezas da Escolástica, a ponto de ser capaz de provar com a mesma solidez a tese e a antítese, desde que os interessados em uma e na outra o retribuíssem bem.

Dizia a lei fundamental da Bruzundanga:

"Todos os cargos públicos são acessíveis aos bruzundanguenses, mediante as provas de capacidade que a lei exigir".

O exegeta ministerial, depois de verificar que o papagaio tinha nascido na Bruzundanga, e era, portanto, bruzundanguense, concluiu, muito logicamente, que ele podia e lhe assistia todo o direito de ser provido em um cargo público de seu país.

Argumentou mais com Augusto Comte que incorporava à humanidade certos animais; com o "artemismo", crença de determinados povos primitivos que se julgam descendentes ou parentes de tal ou qual animal, para mostrar que o anelo íntimo dos homens é elevar esses seus semelhantes e companheiros de sofrimentos na terra. Emancipá-los.

A Arte, dizia ele, foi sempre por eles. Citava as esculturas assírias, egípcias, gregas, góticas que, embora idealizados ou estilizados, denunciavam um culto pelos animais que, injustamente, chamamos inferiores.

Na arte escrita, para demonstrar o que o sábio consultor vinha asseverando, lembrava La Fontaine, com as suas fábulas, e modernamente, Jules Renard, com as suas interessantes *Histoires Naturelles*.

Nas modernas artes plásticas, nem se falava, continuava ele. A representação artística de animais, por meio delas, já constituía uma especialidade.

Foi por aí...

E, de resto, dizia ele quase no fim, quem não se lembra do papagaio de Robinson Crusoé?

Devemos, portanto, exalçar o papagaio, que é um animal que fala, rematou afinal.

O ministro gostou muito do parecer; julgou dispensável pedir uma lei ao corpo legislativo que, na Bruzundanga, é composto de duas câmaras: a dos vulgares e a dos doutores; não julgou também necessário avisar os outros papagaios da sua resolução, para que concorressem e nomeou o do seu amigo Fagundes...

E foi assim, segundo me conta a missiva que recebi, que um "louro" bem falante foi nomeado arauto das armas da Secretaria de Estado de Mesuras e Salamaleques da República dos Estados Unidos da Bruzundanga.

A.B.C., Rio, 23-11-18.